コロナ大恐慌
中国を世界が排除する

宮崎正弘
Masahiro Miyazaki
渡邉哲也
Tetsuya Watanabe

ビジネス社

はじめに　平成の30年を終えて迎えた「戦争の時代」

30年に及ぶ平成の時代を終えて、令和の時代を迎えました。平成の時代はその名の通り「平になった時代」でもあり、グローバリズムの時代でもありました。平成の最後に起きた大きな事件がゴーンの国外逃亡であることも平成の時代を象徴する出来事であったと言えるでしょう。そして令和初のお正月を迎えた矢先にメリカとイランの対立が起こり「戦争の時代」を印象づけました。すると今度は1月25日に春節（旧正月）を迎えた中国で「武漢コロナ」が発生したのです。

毎年、恒例となっている宮崎正弘先生との対談、当初は香港問題や台湾総選挙など世界のナショナリズムの動きと米中分断について論じる予定でした。しかし、これが大幅に変わった。対談の最中、武漢コロナがパンデミックとなり、中国、米国をはじめ世界がいっせいに国境を閉ざし五輪も1年延期が決まりました。これまでの対談でも米中の対立と世界の大分断をテーマに定点観測してきましたが、バンブーカーテン（竹のカーテン）がいつどのような形で降りるかはともにわかりませんでした。しかし、本書を作っている最中、ついにそれが降りてしまったのです。

ファーウェイ問題などハイテク分野での対立や輸出規制の拡大といった技術面や戦略面での議論を続けてきたわけですが、ヒトの往来を止める壁ができた以上、それはもう些細《ささい》なことにすぎません。米国が「戦時体制」に入った今、世界は物理的に分断されてしまったのです。これが元通りになることは当面なく、国際社会も大きく2分されるでしょう。

当然、わが国日本もその選択を迫られました。当初、中国との関係やインバウンドによる経済的利益と習近平国賓来日などを優先し、中国とのヒトの遮断を避けてきた安倍政権およびその陰にあった自民党の党内政治に対し、日本国民から非難が集中しました。特に自民党支持者から強い批判を受け、2月下旬、安倍総理は大きな決断をしました。2月28日には中国、韓国からの渡航を遮断し、習近平国賓来日中止を発表、3月5日には未来投資会議で中国に依存するサプライチェーンを否定し、企業に国内回帰と中国以外の国への移転を求めたわけです。

時を同じくして、武漢肺炎は欧州全域を襲い、ついに米国本土に到達しました。ワシントン州から始まった武漢肺炎の攻撃は、世界最大の都市NYを封鎖に追い込み、首都ワシントンDCにも到達し、全米をパニック状態に陥れたわけです。また、欧州でもイタリアから始まった武漢肺炎の攻撃は、スペインに伝播《でんぱ》し、フランス、イギリスを都市封鎖に追い込んでいった。世界各国はそれぞれに国境を閉鎖し、自国の生き残りのための「戦争」を開始したのです。そして、グローバリズムの実験地域、国境のない世界であったEUの理想は淡くも崩れ去ったのです。

本書では、宮崎先生の知見をお借りする形で、今起きていることの真相と各国政府や巨大企業の思惑、そして、これから何が起きるのかを予測しています。冷戦終結から30年——歴史は30年単位で大きな変動を繰り返すと言われています。それが今であり、時は

100年遡《さかのぼ》り、スペイン風邪の時代、つまり、欧米各国がしのぎを削る第一次世界大戦の時代まで遡ったのかもしれません。

令和2年4月

渡邉哲也

コロナ大恐慌　中国を世界が排除する　もくじ

第2章 中国排除後の世界

第3章　半導体・スマホ・ポスト5G、世界「技術戦争」の行方

第4章　中国経済に依存した世界の悲劇

第5章 中国進出企業とソフトバンクの末路

最終章　コロナ恐慌でどうする日本

おわりに

第1章

武漢パンデミックで世界から親中派が消える

パンデミックで一挙に下りたバンブーカーテン

渡邉　これまで宮崎先生との対談本を2冊出させていただき、アメリカの中国排除による米中分離、いわば世界が新たな冷戦を迎えるという予測は早くから何度も繰り返して論じてきましたが、これまでは、そのきっかけが何になるのかというのが不透明であった。ところが今回、武漢発のパンデミック、新型肺炎の蔓延《まんえん》によって、一挙に竹のカーテン＝バンブーカーテンが下りた。

宮崎　バンブーというよりも「防疫」のカーテンで、ヒトのシャットアウトです。そもそもアメリカの「ウォール街」のウォール＝壁はユダヤ人を入れないためのものでした。今は壁はなくなりましたが。古代中国の万里の長城も異民族の侵入を防ぐための壁でしょう。昨師走（2019年）の武漢コロナ発生以来、中国のそこいら中の都市を封鎖するという前代未聞の壁は、病原菌を防ぐ壁、防疫壁です。中国は歴史的に城塞都市が得意だから壁づくりは慣れてるようですね。

渡邉　3月中旬になって武漢コロナの流行の中心はアジアからヨーロッパに移動したと言

過去のパンデミックによる死者数

年数	ウイルス名	死者数
1918	スペイン風邪	**5000万人**
1957	アジア風邪	**200万人**
1968	香港風邪	**100万人**
2009	新型インフルエンザ	**1.6万人**

っていいんだと思いますが、そこにいたるまでの経緯をまずは振り返ってみましょう。

武漢で「変な病気が発生」しているといわれだしたのは、19年の10月から11月ですが、中国当局からＷＨＯ（世界保健機関）へ原因不明の肺炎の発生を報告したのが12月31日、翌日20年1月1日に海鮮市場（華南海鮮城）を閉鎖しました。1月5日に武漢市衛生健康委員会が感染者数59、うち7人重症と発表し、同月9日に新型肺炎に関する初の死亡例が中国で確認された。ＳＡＲＳ（重症急性呼吸器症候群）ともＭＥＲＳ（中東呼吸器症候群）とも異なる新型コロナウイルスが原因と確定し、死者が出たと報じられたのが11日。

13日にタイで最初の感染症例、16日には日本（神奈川県）、19日に韓国と広東省深圳《しんせん》、翌20日に北京、中国当局が新型コロナウイルス感染者が200人を超えたと発表（ＰｒｏＭＥＤによると患者198名、うち3名死亡）。

するといち早く動いたのはアメリカで、22日に中国・武漢からの渡航者の入国を5つの空港に制限し、中国にいるアメリカ人7万人の帰国を勧告し、中国からの入国者に対してビザをおろさない決断を示しました。全土遮断です。同日に台湾は台湾と武漢間の団体旅行を一時停止し、北朝鮮も中国からの観光客の受け入れを全面停止を決めました。この日WHOが緊急会議を開きましたが、翌23日に「緊急事態宣言」を出すのは見送りました。同日に武漢市閉鎖、空港・鉄道・フェリーなどの交通機関が運行をすべて停止し、全日空など複数の航空会社が武漢への運行を停止。

24日、台湾は中国大陸全土への団体旅行を中止しましたが、日本はこのときはまだ中国湖北省（武漢含む）への渡航を中止勧告（渡航レベル3に引き上げ）に留まっていた。フィリピンは武漢からの観光者500人を強制送還しています。

25日、フランスとネパールで初感染者。

宮崎　ようやく1月27日になって、日本で新型肺炎を「指定感染症」に指定します。28日には日本でヒト=ヒト感染が発生。29日にフォローアップセンターを設置した。

渡邉　31日、WHOが新型コロナウイルスのアウトブレイクについてPHEICを宣言。

2月3日、イギリスが連動、ロシアの場合はさらに強烈で、国境を全部封鎖するとともにロシアに入ってきた中国人は、シベリア収容所に14日間収監送りにすると決めた。つまり世界中、中国人は入っていけないし、自国民を中国から大脱出させるということが起こったわけです。これをBBCは「エクソダス」と表現しました。

宮崎 外国のみならず、中国の国内国境、マカオ、香港もそうです。マカオも香港も中国との国境（国門といいます）を閉じた。マカオには内陸部から年間4000万人近く（訪問客の8割は中国本土から）来ていた門を閉ざし、しかも2月5日から15日間、41ある全カジノの営業中止を決定した。これは大変なことですよ。私は1月中旬にマカオに行ったので、あのバッタのような人込みのマカオが突然死んだようになった景観をTVでみて驚きました。

ＩＲの本場と言えば世界一の売り上げを誇るマカオでしょう。マカオの一人あたりの名目ＧＤＰは、約8万2000ドル（2019年）。香港がだいたい5万ドル。ちなみに日本は4万1000ドルあるかないかで、とうに日本を超えている。マカオは景気が良いので公共交通としてモノレールまで作りました。私は開通記念のときに乗りましたが非常に便利です。ホテルからホテルへの移動は1駅で、波止場にも飛行場にも行く。世界で最も成功したＩＲでしょう。しかもマカオのＩＲによる収入は日本円にして4兆円近くに上り、政府の歳入の8割はＩＲによって賄われている。中国への依存は日本の比ではないのに、そのヒトの流れをマカオ政府がいきなり封鎖したのだからすごい決断です。

SARSの教訓を活かした台湾

渡邉　SARSの教訓を活かした台湾の水際対策は見事で、米医療雑誌JAMA（20年3月3日）で紹介されています。本来日本こそやらなければならないことでした。

その要旨をいうと、①全方位的な防災システムを構築、②感染症対策チームのすばやい対応、③新たな科学技術を入国者の検疫電子システムに導入、④感染地域からの入国者へ対する事実上の隔離対応、⑤新型コロナウイルス検査の対象を積極的に拡大、⑥それに関連した感染症予防ホットライン「1922」の設置、⑦マスクなど資源の分配の管理、⑧感染者への治療とケアです。

台湾の防災体制は「国家衛生指揮中心（National Health Command Center, NHCC）」を中心に、「中央流行疫情指揮中心（＝中央感染症指揮センター）」、「生物病原災害中央災害応変中心」、「反生物恐怖攻撃指揮中心」、「中央緊急医療災難応変中心」などの機能を整え全方位的に対応できるようにしていました。

そして、台湾の感染症対策チームは「感染症を拡大させるリスクの高い航空便を対象に、渡航者の検疫を実施した。また、いち早く国民健康保険証に登録されたデータと、移民署（日本の出入国在留管理庁に相当）、税関などとビッグデータを結びつけた分析を実施し、人々の渡航歴や臨床症状等から警戒レベルを判断し、スピーディーに感染者を探し出せる仕組みを作った」。

台湾に戻る旅客に対しては「航空会社のカウンターでチェックイン手続きを行う際、自身のスマホで指定のQRコードをスキャンして検疫システムのサイトにアクセスし、健康申告書に必要事項を入力する。すると、飛行機が台湾に到着後、スマホの電源を入れるだけで健康申告書の受理認証が発送される。スマホに届いた受理認証を提示すれば、スムーズに入国することができる」ようにしました。

また、原則として「新型コロナウイルスの感染が拡大している地域からの渡航者（本国籍、外国籍含む）については2週間の『居家検疫（＝事実上の隔離）』を義務付けている。これらの隔離対象者については、スマホの位置情報機能などを利用して、隔離期間も外出しないよう監視」しています。

検査の対象も、インフルエンザウイルス検査では陰性だった人でも症状がインフルエンザの重症に似た症状なら、過去に遡って調査し、実際に感染者の発見につなげています。感染症予防ホットライン「1922」は、感染の疑いがある人を通報したり、新型コロナウイルスに関する問い合わせを行ったりと活用されています。「1922」だけでなく、他のホットラインも次々に開設しています。

日本でもマスクの買い占めや高額転売が問題になっていますが、台湾では中央流行疫情指揮中心がマスクの販売価格の制定、マスクの増産など1月から行っていました。また、感染者やウイルス検査を受けた人に対し負のレッテルを貼られることがないよう努めています。

この台湾の新型肺炎に対する総合的な対策は感染者が拡大する韓国や日本とは対照的なことからもわかります。

「TAIPEI法」可決で米台急接近

宮崎　そうそう。政府の対応が迅速だったので蔡英文の支持率は10ポイントほど上がった。3月27日にトランプ大統領は「TAIPEI法」に署名し、同法は正式に成立しました。

いわゆる「台北法」とは略称であって、「Taiwan Allies International Protection and Enhancement Initiative（TAIPEI）」、邦訳はまだ確定せず、共同通信は「台湾同盟国際保護強化イニシアチブ法」で、産経新聞などは、「台湾支援法」としました。

この法案は昨秋（2019年）に上院で可決され、下院でも20年3月4日に満場一致で可決後、上院に再送されていたものです。台湾の孤立化を防ぎ、中国の横暴に対応するための国際連帯を呼びかけ、WHOへの台湾加盟などを促進するという内容です。下院を通過した際、ナンシー・ペロシ下院議長は「台湾は国連を含むあらゆる国際的な機関において物事を決定するテーブルに座るべき資格を有している」と述べています。

成立が急がれたのは武漢ウィルスが猛威をふるっていても、WHOに台湾がオブザーバーでも参加できない状況が露呈し、米国ばかりか日本もカナダも台湾のWHOオブザーバー加盟を支持する一幕がありました。

11月には「香港人権・民主主義法」が成立し、その後の香港法と同様な内容の「ウイグル人権法」（12月3日）並びに「チベット人権法」（1月28日）が議会を通過しており、トランプ大統領の署名を待つばかりとなっていますので、このタイミングを選んでの成立、すなわちトランプ政権の意図は、米台関係を強化し、台湾が主権国家を参加資格としない国際組織に加盟させ、適切な国際的組織においてもオブザーバーの資格をえるために米国が強く支援に動き出したということです。

同時に台湾と関係強化に動いている国々との経済、安全保障、外交の関与強化、他方で台湾の安全保障や繁栄を阻害する行動をとる国に対しては従来の関係の中味を改めるなど、明らかに中国に対する強い牽制です。実際には法律がなくとも、エルサルバドルなど、台湾と断交した中米の国から米国は大使を一時召還したりしている。

北京政府はただちに「中国は一つという原則を踏みにじった」と非難していますが、いつもの元気もなく、機械的な声明をだしてお茶を濁した程度に終わりましたね。すでに米国は「台湾旅行法」を成立させており（2018年3月16日）、台湾への武器供与を再開強化し、蔡英文政権を間接に支援してきた。

また頼清徳《らいせいとく》・次期副総統の訪米ではペンス副大統領、ポンペオ国務長官が面会するなど異例の厚遇を示し、台湾擁護の強い姿勢を内外に示してきました。米国がオバマ前政権と百八十度転換し、ここまで踏み込んだ政治的配慮の意思表示は、中国の台湾に対する恐喝的言辞や軍事的威嚇の数々、あからさまな国際機関からの排除を容認できないとしているからですが、さて、日本はどうするのか。安倍政権は同じ法律をつくる覚悟があるのでしようか？

典型的な防疫の悪い見本の韓国

渡邉 日本も遅ればせながら、安倍首相主導のもと中韓からの入国制限を決めました。感染の有無にかかわらず、両国からの入国者は2週間の隔離、と同時に短期滞在者向けのビザ（査証）の停止を決定しました。事実上中韓からの観光客の入国が禁止されます。ビザが取り消されるため、ビザを取り直す必要があり、たとえ入国できてもホテルなど14日間の滞在先と滞在先までの公共交通機関（バスタクシーを含む）以外での移動手段を先に確保し、入国時にそれを証明する必要があります。つまり、日本人の帰国以外はできなくなったといえる。

宮崎 しかし、水際対策という意味では遅きに失した。日本も激甚な被害を受けてしまったでしょう。

渡邉 政府の酷い対応ということなら韓国でしょう。

宮崎 もちろん韓国は論外です。

渡邉　3月に首都ソウルでもコールセンターで集団感染が発生し、パニックに陥ったことがありましたが、国内で感染者が出た以上は、感染流行のピークを遅らせ重症者を出さないこと、重症者の救命を最優先にし、医療崩壊を防ぐことが重要です。
市中感染が拡大している地域では精度が低いPCR検査をしても意味がありません。あくまでも検査が効果を持つのは水際対策であり、流入を防止する段階での話です。また、治療法が確立していない状態での検査は医療崩壊の原因になります。
ところが韓国は軽症・重症を問わず検査ばかりいたずらに増やした結果、「感染者」の数が莫大になり、医療機関が対応できない「医療崩壊」に陥った。これは最悪の選択です。いうまでもなく、医療機関の務めは設備もスタッフも限られている以上、「感染者」の発見が目的ではなく、死者を最低限に食い止めることが重要で、そのためにはトリアージ、病状の軽重により治療の優先順位をつけなくてはならない。
宮崎　ですから臨床研究としてはどのような要因で重症化するかの解明が重要です。
渡邉　そうですね。今回のウイルスの場合、無症状または軽度が8割程度ということですので、人の移動を抑制しクラスター感染（クラスター〔集団〕感染が次の集団感染を生むこと）を抑制することが重要であり、国民一人ひとりがすべきことは、手洗い、うがい、消毒などを通じて、ウイルスを広めない努力が大切ということになります。

韓国は日本が検査をしないことによって感染者の数を隠蔽《いんぺい》しているなどと批判し、日本の一部メディアや野党も歩調を合わせるかのように多くの国民に検査をさせろと騒いでいますが的外れもいいところです。そんなことをすれば、病院を媒介とした大規模な2次感染拠点を生み出すだけです。それを防ぐためにも、マスクは優先的に医療機関に供給し、リスクの高い人が確実に手に入れられる環境を整える必要があるのです。

そして、不要不急の患者が病院に行かないことであり、花粉症などに関してはスイッチ薬（ドラッグストアで買えるようになった処方箋薬）をドラッグストアなどで購入し、必要以上のリスクを避けることが大切です。

宮崎 花粉症の人は日頃からマスクもたくさん持っているし、どう対応するかのノウハウを持っていますね（笑）。

渡邉 ウイルスの伝播《でんぱ》はモデル化が可能であり、伝播は距離との関係により時間差が出る。まずは、欧州、次に米国で感染が拡大した。しかし、どちらも今現れている数字は潜伏期間である4~14日前の感染を示すデータでしかありません。

また、今回のウイルスが季節性であったとしても、南半球や寒冷地に伝播しているため、世界的に見れば通年性のウイルスになる可能性が高いといえます。ただし、これまでもコロナウイルスは何度も世界に伝播しており、季節性の風邪として対処されてきたのも事実であり、治療法が確立すれば適正に対処できるものと思われます。

コロナはアジアからヨーロッパへ

渡邉　世界各地で感染が拡大し、ヨーロッパにおいてもイタリアからフランス、ドイツ、ギリシャへと感染が拡大しました。また、イランを拠点にアラブ中東圏への拡大も発生しています。南米大陸においても、ブラジルでの感染が確認され、アメリカも警戒を強めています。

３月中旬になるとコロナの流行の中心がアジアから欧州に移りました。特に最初のパンデミックが起きたイタリアの被害は非常に大きなもので、死者1万人超、致死率10％を超えるという悲惨な数字となっています。これはイタリアで医療崩壊が起きており、適切な医療が受けられない状況にあるからで、ＩＣＵや人工呼吸器などが不足しており、トリアージにより高齢者の医療を放棄したからです。

ヨーロッパで次にひどいのスペインです。3月8日にスペインでは国際女性デーに合わせ、各地でコロナに負けるなと10万人単位の大規模な女性デモが行われました。参加者たちはともにハグをし、キスをしあったわけです。ここにはスペインの首相の奥さんも参加しており、コロナへの感染が確認されています。これをきっかけに大規模な感染が発生、数日後には州当局などによる大規模イベントの抑制が始まりました。サッカーも無観客試合となったわけですが、サッカーファンがスタジアムの外に集結し、大声で応援を繰り返したわけです。そして、この結果として、現在が存在するわけです。

そして、フランスやイギリスなどにもその影響が拡大、フランスは外出禁止令が出され、イギリスでも大規模感染が確認されています。また、イギリスのクルーズ船がカリブ海で立ち往生しており、最悪1100人程度が感染者を乗せたまま、イギリスにもどるという最悪の状況になっています。

宮崎　花の都パリで、シャンゼリゼ通りに人がいなくなって、名物のカフェもレストランも営業停止となった。街には軍隊が出ているし。

渡邉　繰り返しますが、水際での封じ込めに失敗した今、治療法がない中で検査をしても意味がありません。検査は治療法を決定するためのものであり、薬の処方やワクチンなど適正な治療を行うためのものです。また、現在の検査では70%程度の精度しかなく、簡易検査ではそれがさらに落ちるのです。

日本同様、各国のメディアが検査検査と検査を煽《あお》っていましたが、まったく見当違いの話であり、検査を通じての感染や医療リソースの無駄遣い、医療従事者の感染リスクを拡大するだけで、結果的に死者を増やす行為でしかありません。医療の究極の目的は死者を減らすことであり、目的を見失っているとしか言いようがありません。日本のメディアもこの間違いに気が付き始めましたが、まだ理解できていない人も多数存在するようです。そして、これは世界のリベラルメディア共通の誤認識になっています。

なぜイランでコロナウイルスの猛威？

宮崎　韓国や日本で感染者が広がるのはともかく、なぜイランで死者が数千名も出ているのか。イランの国会副議長はコロナウイルスに感染して死亡しました。
防疫の責任者である保険相がせき込みながらの記者会見をし、副大統領も罹患、政府高官、市長クラスの高層部に感染が急拡大し、イランはパニックに襲われています。
欧米は100人以上の集会やイベントの自粛を呼びかけ、あるいは禁止しましたが、イスラム圏はモスクが原因ですね。礼拝の集まりを禁止することは、信仰上の違いがあって無理な面がある。

渡邉 イスラムの場合、基本的に遺体を傷つけることができず、土葬をします。また、お葬式では遺族や近親者が亡くなられた方の体を洗い、白布にくるむ。初期の感染はお葬式を通じて、広がった可能性がありますね。

宮崎 イラン政府の公式発表では死者が66名（3月2日）ですが、この数字を信じる人など誰もいないでしょう。そういう意味では、狂信的宗教指導者が統治するイラン政府も中国と五十歩百歩で、不都合な情報を隠蔽するか、操作しています。イランの反政府組織は、死者は660名に及ぶとし公式発表の10倍です。英国BBCは、330名が死んだのではないかと報じました。その後、3月29日時点での死者は1021人です。

中国とイランは以前から良好な関係を保っています。

かつてテヘランへ行ったおり、当時はイラン航空は北京経由だったのでわかるのですが、北京往復チケットの格安は週1便のイラン航空でした。北京で乗客が入れ替わった。東京からの客の大半は北京で降り、北京からは中国人がどっとテヘラン行きに乗り込んできたのです。しかも軍人が多かった。ですから、どうやら中国軍とイラン軍とは特殊な関係があるようだ、と観測したものでした。

実際、イラン・イラク戦争では、中国は双方に武器を売却し、大いに外貨を稼ぎました。この戦争の取材で私はイラク側からファオ半島の戦場を取材しましたが、捕虜収容所は老人と子供ばかりだった。

また、2017年統計で中国とイランの貿易は300億ドル、米国の制裁が本格化する前に、中国はイランのインフラ建設のために1200億ドルを投資するなどと、風呂敷を広げていた。

西側はイランへ経済制裁を強め、日本は今、イラン原油の輸入ができないでいる。中国も制裁に「同調」しているはずですが、実際にはダンピングで相当量のイラン原油を中国は買っている模様です。

一日最大500万バーレルと言われたイラン原油輸出、昨今は一日100万バーレルまで落ちており、国内は不景気とインフレが同時に進行する深刻なスタグフレーションに陥っている。背に腹はかえられず、とうとうガソリン価格を上げたため、イラン国内では反政府暴動が起こりました。軍が出動して発砲、1500名が死亡したと言われる。スレイマニ革命防衛隊司令官殺害事件の前のことで、米国への報復を鮮明にすることによりイランは国内の治安悪化をすり替えたわけです。

「日中友好」を優先し感染を拡大した日本

宮崎　日本は中国人の入国を規制しなかった結果、感染者が増え続けた。これが安倍政権の最大の失敗で、一説に中国から執拗《しつよう》な政治圧力があって、アメリカ同様の措置がとれず、対策が後手後手になったからだともいいます。

渡邉　結局、これまでは大臣マターで中国の顔色をうかがいながらの対応だったので遅れた。それが3月に入り、安倍総理が直接指揮を執ることによって矢継ぎ早に対策が取られるようになりました。安倍総理が指揮を取り出す前の週から官邸で飯島勲参与の影がちらつき始めていたので何か動きがあると思っていましたが。ご承知のように飯島参与は「ミスター官邸」とよばれるリスクマネージメントのプロであり、党内、官僚も逆らえない裏方のプロですから。

総理が直接指示を出したことで、国民生活安定緊急措置法によるマスクの北海道への優先供給が可能になり、感染源となりやすい学校の休校要請も出されました。また、感染拡大している北海道では鈴木直道知事による「緊急事態宣言」が出され（3月19日に解除）、臨戦態勢がとられました。

もちろん総理が直接指揮を執ったからといって、感染を直接防止できるわけではありません。しかし、政治的には重要で、行政も大きく動き始めました。これまで総理は退任後の権力移譲に向けて、菅官房長官や各大臣などに対応を任せてきたのだと思いますが、彼らには任せられないということが明らかになり方針を転換したのでしょう。

もともと自民党という党は、歴史的にいっても党内はひとつではありません。右派左派だけでなく、親中派や公明党のシンパも存在しますから。親中派といえば旧田中派がその典型で、日中国交正常化による中国利権を最大限利用してきた。しかし、それも今回の問題で大きな見直しを迫られるでしょう。カジノ問題に始まり、中国との関係が深い議員に大きな痛手となっている。親中派についてはあとでまた論じたいと思います。

現内閣はいわば「安倍・麻生の連立政権」であり、2派で過半数を取れないために、二階派など他派閥を巻き込んで体制を維持している。特に3期目以降は総理引退後の権力移譲を前提に派閥均衡の人事と政治体制を構築してきたわけです。今回これがあだとなった。トップには「良い人」は向きません。特に危機的状況において、「良い人」とは最低の指揮官でもあるわけです。人を信用しない人が最も適しており、それは嫌われる人であるわけです。

欠陥だらけの日本の防疫体制

宮崎 結局、根本の誤謬《ごびゅう》は、日本が国防力に弱く、危機管理能力が常日頃から脆弱《ぜいじゃく》だったという軽武装で平和惚け国家の軟弱な体質にあるのですよ。欧米の迅速なチーム編成と次々と出てきた強硬措置を見てますとね。欧米はこれを、戦争だと認識したからでしょう。いやアジアにしても、台湾は軍隊の化学医療チームを動員し、水際作戦を展開しているのに、日本では緊急対策会議に肝心要の自衛隊が呼ばれていない。なんという彼我の差！欧米は軍を動員してあたかも戒厳令下に入っています。

たとえばアメリカなら、今回のようなバイオ関係のクライシスで指揮をとるのはＣＤＣ（アメリカ疾病予防管理センター）という疾病対策センターで、軍を含め関連した組織が一体となって動く。ヨーロッパならＥＣＤＣ（欧州疾病予防管理センター）。

渡邉　日本の防疫体制ですが、アメリカのＣＤＣに当たるのが国立感染症研究所になり、その傘下として地方衛生研究所が各都道府県に設置されています。この組織が指定伝染病のサーベイランス（調査監視）や発生したときの「ウイルス行政検査」を行う施設なのですが、行政改革による予算の大幅削減や、高齢化による人材不足、法的根拠を与えられていないなど課題が多い。そもそも自治体によって組織力の大きさにばらつきがある。これでは今回のような事態に対応できない。

宮崎　渡邉さんのおっしゃるように日本は官庁の縦割り行政と縄張り意識が弊害となっています。検疫は厚労省、入国管理は法務省、税関は財務省、麻薬検査は総務省、そして国土の全体的な管理は国交省というように。これがアメリカなら、ＮＳＣ（アメリカ国家安全保障局）という軍でいうところの統幕議長的な役割を担う機関があって、整合性のある統一的なシステムになっていますが、日本の場合これがないでしょう。要するに、指揮系統がないから、連絡会議があっても、省庁同士でただ情報の交換をしているだけでまとまりがない。会議に出た副大臣経験者から聞いたことですが「あんな情報交換会なんて、やっても無駄」と痛烈に批判していましたね。

渡邉 たしかに日本版NSCを作ったものの、機能不全ですね。国立感染症研究所も軍と表裏一体の関係でなければ、機能しないのは当たり前です。

マスクとデマ

宮崎 ま、中国ではサイバー部隊が10万人になった。日本の防衛省のサイバー防衛チームは150名しかいません。

ところで、今回改めてクローズアップされたのはデマというもうひとつのウイルスとマスクの買い占め、高額転売です。左翼メディアは武漢コロナを安倍批判に問題をすり替え、テレビは恐怖を煽るからトイレットペーパーの買い占めという珍現象まで生みました。

日本政府もマスクの高額転売を禁止する国民生活安定緊急措置法の政令により、違反者は1年以下の懲役または100万円以下の罰金が下されることになりました。

渡邉 マスクをネットオークションなどで高額出品している人たちには大別して2タイプあると思います。いわゆる「転売ヤー」と流通業者や従業員です。前者は掛け売りで、後者は流通に流している。

私もこれらの危機に便乗し他人の弱みに付け込んだ高額出品の撲滅は、転売目的の新規買い占めを防ぐ効果があり、間接的な店頭在庫の安定と価格の安定、安心感を招くと思い、SNSでネットオークションの規約違反通報を呼びかけました。これはマスクの安定供給に有効だからです。そうすることにより、前者はネットで投げ売り、後者は流通に戻り店頭に並ぶことになるわけです。

日本のどこぞの自治体が、友好都市だとか言って、日本人の税金で買ったマスクを中国に100万枚送っていた事例がありましたが。まったく無意味だったということは覚えておいていいでしょう。

宮崎　しかも、日本が送った100万枚のマスクと10万着の防護服ですが、どうやら途中で消えてね。末端には行っていない。ああいうのは、北朝鮮に送った米と同じで、必ず搾取するのだから。

渡邉　結局この問題はマスクが中国で大量に作られていたこと（日本は約7割を中国から輸入）、中国人や中国政府が世界各地でマスクを集めたことが原因であり、中国の買い占めで世界各地の市場からマスクが枯渇し始めたわけです。

同様に米国でも消毒薬やマスクなど医療品不足が顕著化し、中国人による買い占めが社会問題化しました。そして、「国防生産法」の発動に向けて動いており、医療品などの生活物資の国産化が進みます。日本同様、米国でも安価なマスクなどの医療品や材料など中国からの輸入が多く、これが大きなリスクになっています。

マスクの原料になる不織布がその典型で、今回の問題により国産化が進むと思われます。また、紙製品や消毒用品など生活基礎物資に関しても中国からの輸入に関するリスクが見直され、今後、中国とのデカップリング（切り離し）が進むものと思われます。

権威失墜が明らかになった国連機関

宮崎　先述のように、台湾の見事なコロナ対策から同国への国際的な評価は高まり、WHOでも欧州十カ国を中心に台湾を参加させるべきだとの声が高まっていましたが、裏を返せば国連機関やWHOなどの国際機関で高まる中国の存在感への牽制《けんせい》です。いかんせん15ある国連専門機関のうち4機関のトップを中国人が務めている始末です。

今回の新型肺炎を中国の反発をよそに米国は「武漢ウイルス」と命名していますが（3月16日からトランプ大統領は「中国ウイルス」と言い出しましたが）、当初WHO事務局長のテドロスが中国政府の対応を絶賛し、肺炎を蔓延させたことから、「武漢テドロス肺炎」とネットでは名付けているそうです（笑）。すかさず中国はWHOに21億円を寄付しましたが、3月11日のテドロス事務局長の「パンデミック（世界的大流行）」宣言を止めることはできませんでした。もっとも、習近平が武漢に訪問し「ほぼ終息宣言」をしたあとの絶妙なタイミングでのパンデミック宣言なので、中国を部外におく配慮をしたのではないかとの見方もありました（産経新聞、3月13日）。

しかし、驚いたのはドイツのメルケル首相の記者会見での発言です。「ドイツ国民の60-70%が感染する可能性がある」と。同日に日本でも緊急事態宣言法が衆議院委員会で可決しました。毎日、毎日、情勢が激変していましたね。

渡邉　WHOの権威は失墜でしょう。しかし、皮肉ですがWHOなどの国際機関が中国に乗っ取られてまったく機能していないことが明らかになったのはいいことです。特に日本には「国連信仰」という世界でも稀《まれ》な幻想を抱いている人が多いから困ります。

その点でも、トランプが言っていることはやはり正しくて、国連改革はしなくてはならない。中国はSARSには勝てなかったけれど、WHOは支配下に置いた。今回も中国政府がまずやったのは感染症対策ではなくて、WHO対策だった。

宮崎 テドロス事務局長はエチオピア出身ですが、個人的にも裨益《ひえき》しているのではと邪推したくなりますね。

渡邉 もともと国際機関には意思決定における構造上の問題がありました。中国はアフリカの国々にカネをバラまいて国際会議におけるアフリカ諸国の票を一手に握っています。アフリカだけで50数万国ありますから、多数決だと中国が有利になる構造になっていた。ですから、G20に併せて行われるB20（G20ビジネス・サミット）で中国を念頭に反汚職を調査し、それを否定する仕組みが作られていたのですが、2016年中国が不参加を表明したことで機能不全に陥っていたわけです。

それを日本はG7伊勢志摩サミットでひっくり返し、その後の杭州サミットで議長国である中国に飲ませた、という経緯がありました。中国は汚職や贈収賄が当たり前の国なので、貧しい国はお金で簡単に転んでしまう。直接個人がもらうだけでなく、国への支援という形もとる。したがって、すべての国際会議の事務局長はG7を中心とした先進国のみから選任するとか変えなければ中国を封じ込めることはできないでしょう。

中国はIcao（国際民間航空機関）からも台湾を追い出そうと好き勝手しています。国際機関が、完全に機能不全になってしまっている。ひとつは資金不足という問題もあり、昨年（2019）の12月に停止する可能性もあった。このまま行ったら国連も、資金不足で瓦解します。第二国連じゃないですが、中国抜き、いや中国と韓国抜きの国際機関を作る必要があるでしょう。今の国連の建物や施設はいったんアメリカに返して、第二次大戦後に国際連盟が国際連合に変わったようにふたたび国連を設立すればいい。

宮崎　そもそも国連は、世界各国を全加盟させるなどという前提自体が間違っているんですよ。アジアやヨーロッパといった地域代表を決め議決すれば良かった。日本国内だって、まず村、町、市議会があって、その上に県議会があって、国会があるように、レベルがあり、県議会ですむ議題は県で決めればいいわけでしょう。国連は地域代表が話し合う体制に変更すべきです。

渡邉　中国排除ということで言えば、設立当初の国連に戻す改革をすればいい。中国とは中華民国＝台湾のことであり、中華人民共和国ではない。そうすれば、安全保障理事会も中国が追い出されて今中国が持っている立場を台湾が手に入れ、反対に中国が今の台湾の地位に追いやられることになる。国交を結んでいる国が15カ国しかなくなる。自分のやったことのしっぺ返しをくらうというのは面白いと思うのですがね。

中国と心中する親中派

宮崎　しっぺ返しといえば、まさに今回の「武漢コロナ」がそうでしょう。しかし、中国だけでなく、世界の親中派がその報いを受けるときがきた。日本企業の親中派は中国と心中するらしい。親中というより心中だな。

感染症の発生源が中国湖北省の武漢であることは明々白々の真実であるにもかかわらず、中国は日本や韓国、あまつさえ米国にまで責任をなすり付けようとしました。

「病原菌は米軍が持ち込んだ」と責任転嫁に躍起になっています。ところが、この偽情報を真に受けて、アメリカの生物兵器と喧伝《けんでん》しているのがイランです。

ＷＨＯは次にアフリカでの大量感染を懸念していますが、そのアフリカのイスラム圏でも「米国元凶説」が、中国人によってばらまかれています。

中国は「世界は中国に感謝すべきだ」として救援チームをイタリアばかりか、スペイン、ドイツへ派遣し、マスクや防護服を大量に西側に寄付するなどと、「マスク外交」によって病原大国の打ち消しに懸命になっています。

幸い習近平の国賓来日は延期になったものの、日中友好に配慮した日本政府こそいい面の皮で、中国メディアは「コロナウイルスは日本が発生源、日本に同情し、マスクを贈ろう」というキャンペーンを仕掛けた。

ようするに中国というのは、まさに「賊喊捉賊《ぞくかんそくぞく》」の国、中国人の泥ボーが逃げるときに「泥ボー」と叫びながら走り出す国民性に似ていて、メンツの問題として他者に責任をなすり付ける国家体制なのでしょう。すると前述のように今度は中国は姿勢をころりと変えて、「コロナは制圧した」などと、誰も信じないキャンペーンを張りだしました。

それが武漢を視察した習近平の「勝利宣言」です。加えて、湖北省の感染ゼロが5日間も続き、「疫病を退治した習近平は英雄」と、幇間《ほうかん》さえひっくり返るあべこべキャンペーンが開始されました。

火葬場から煙があがり続け、感染者は別の隔離場所に運ばれているとSNSでは情報が飛び交っています。

渡邉　石平さんによると、武漢市内の病院が院内で出した通達には「3月末に武漢全体で戦場のあと片づけを行い、正常な社会秩序と仕事を回復する」としたうえで、「本院入院のすべての新型肺炎患者を11日までに一人残さずに整理する」と書かれていたそうです。

日本ではありえないような乱暴な通達ですが、これが人権のない中国における「感染者ゼロ」の実態なんですね。

宮崎　証拠を隠滅するために感染した町に爆弾を落としかねないのが中国ですから。言論弾圧も、情報の隠蔽、操作とともにまことに凄《すさ》まじい。

死亡診断書に「コロナと書くな」と通達しています。武漢はウイルス感染を退治し、疫病に打ち勝ったと、10日間で建てた火神山医院を解体しましたが、サウスチャイナ・モーニング・ポスト（3月23日）は「感染者4万3000人が、無症状だからと感染者数から外していた」と報じました。

中国の公式統計を信じる日本のメディアはバカなのか。それとも天安門事件を「なかったこと」にした近年の歴史的教訓を忘れているのか。

真実を報じようと武漢へ入ったフリーのジャーナリストや、意見を述べた弁護士、学生らが「失踪」している。それもかなりの人数、とどのつまり偽造ニュースを見破られるのがいやなのでしょう。

たとえば、フリーのジャーナリストでファンビンビンの脱税をスクープして注目されていた崔永元《さいえいげん》は、2020年2月から武漢での取材中に拘束されました。隔離病院、火葬場の「真相」をつかんだからに違いありません。

また、弁護士の陳秋実《ちんしゅうじつ》も、1月24日から武漢に入り、病院の混乱ぶりなどを取材していたのですが、2月上旬に「失踪」。当局が「強制隔離」したとの情報があります。習近平批判で知られた実業家の任志強《にんしきょう》も3月中旬に拘束されたようです。

北京の「外国人特派員協会」（FCCC）は記者査証（ビザ）を盾に外国人記者を脅迫しているとし、ウォールストリートジャーナル、BBCなどが国外追放処分となったほか、1年のビザを半年に短縮されたものが12人いるという。

しかし、その隠蔽体質、強権体制が今回ばかりは仇となりました。情報を隠蔽したら、逆に噂《うわさ》が広がるに決まっています。

超監視国家の誤算

宮崎　それにしても、顔認証とか、声紋とか超監視社会では一流の中国も、防疫では全然ダメだったというのは、やっぱり技術的偏在ですよ。国の安全を重視してもヒトの安全は無視してきた。

渡邉 基本的に人間の命が安い国だからそもそも公衆衛生という観念が薄い。

ですから、そもそも中国のウイルス研究所の管理体制にも疑問が持たれていました。武漢にある武漢ウイルス研究所には、「武漢P4ラボ」と呼ばれる、武漢市政府と共同で建設されたP4(バイオセーフティレベル4)研究所があります。ここは2015年1月に完成し、2018年1月5日に正式な運営が開始されたのですが、P4とは最高度に危険なウイルスを扱う施設で、従来設立するには厳しい建設基準があります。外部に漏れたら大変ですから。

当初はフランスの研究機関が協力し、設計事務所が設計するという話だったのが、中国とフランスの関係が悪くなって、いったん中断していた。それが、2012年あたりに再開されたのですが、フランスを排除して、中国が独自に作ってしまったのです。こうしたことから、施設そのものが、P4に該当する検疫システムを持っていたのかどうかという疑いがある。漏らそうとして漏らしたというよりも、何らかのかたちで運悪くウイルスが漏れてしまった、という可能性は否定できない。

ウイルス研究においても、当初はフランスが協力するような話だったのが、中国が独自に始めてしまって、軍が掌握してしまった。そういうことで、研究所全体が国際社会から見えない状況にある。P4施設というのは、基本的に国際的にウイルス情報などを共有するためには、検査機関の検査を受けて合格しないと、情報共有はなされない。けれども、中国の武漢の施設は、テストを受けていないので、共有されていない。だから、運用上の問題があった可能性は否定できない。

宮崎　ありうる話ですね。

米世論という虎の尾を踏んだ中国

渡邉　コロナも経済と同じように隠蔽・捏造《ねつぞう》すればすむと見誤って、中国は初動対策に失敗した。国内同様WHOに圧力をかければいいと思い、やらなければいい春節を強制的に行った。その結果、春節によって500万人が武漢から離脱し、300万人が他の地域から武漢に入り、武漢コロナが中国全土に広がった。これは最悪の選択です。

宮崎　今ではパンデミックです。挙句、2種の鳥インフルエンザ、アフリカ豚コレラに加え、今度はイナゴの大群まで出現。弱り目に祟《たた》り目です。

豚コレラはアフリカからロシアが買って、ロシアが中国からのオーダーで、肉を中国に売ったものから発生した。米中貿易戦争で、アメリカからの輸入が止まってしまったことが、結果的にこういうことに結びついた。

渡邉　中国は、春節のときにみんなハムを持っていくじゃないですか。あろうことか豚コレラで死んだ豚肉をハムにしているというのですよ。それで国内で拡散された。アフリカ豚コレラウイルスって、真空状態で20日生きるから。ハムが培養体になってしまう。今、食品インフレで、豚が２００数十％以上でしょう。年率で、畜産68％、食品価格15％の重症と言っていたけど、新型肺炎で物の動きが止まったでしょう。さらに上がりますよ、いろいろなものが。そもそも食品工場が動かないのだからね。

宮崎　中国人の食卓から豚肉をきらせたら暴動が起きますよ。

渡邉　自業自得ですね。本来、このような世界的な感染症が生じた場合、疫学の最高権威であるＣＤＣやＷＣＤＣと連携をとって検疫計画を立てて、地域封鎖を含めた態勢を作っていくのですが、中国は、初期段階での米国人医師団の派遣を拒絶しただけでなく、ＣＤＣの研究者の入国を拒否をし続けています。

そのために、対策が遅れ、また世界各国も中国から感染状況や検体の情報を共有することができず後手に回った。

宮崎　アメリカも怒っていますよ。オブライエン大統領補佐官（国家安全保障問題担当）が「中国当局による隠蔽で世界の対応が2カ月遅れた」と批判し、マイク・ポンペオ米国務省長官は「中国発表の数字は信頼できない」と断言したうえで、ＷＨＯのいう「コンビット19」などと、実態を巧妙にはぐらかすような命名を拒否し、端的に「武漢ウイルス」と命名した。トランプはより端的に「チャイナウイルス」と断言しましたが、「発生源が中国である」ことを永久に記憶に留めようとする配慮です。

中国はこのポンペオ発言を「卑劣な振る舞い」（despicable behavious）だと言って強く非難しました。これはもう「言葉の戦争」です。

そして米中情報戦が激化しています。

中国はウォールストリートジャーナル、ニューヨークタイムズ、ワシントンポストの特派員を国外退去としましたが、中国人スタッフにも圧力をかけた。週刊誌のＴＩＭＥなども次の追放対象として検討しているといいます。

トランプ政権は対抗策として、現在、米国にいる人民日報、新華社など160名の記者を100名に減らすとして、減員の要請を始めました。

しかし、中国の誰が見ても明らかな卑劣なふるまいを米国民は許さないでしょう。米世論という虎の尾を中国は踏んだのではないか。

渡邉 日本国内の政局を見ても、中国に関わった人たちがみんな不幸になっている。中国と親密だった政治家も中国に進出した企業も、親中派メディアもそうでしょう。まるで陰謀論のようにわかりやすい。だから、面白いように世の中が変わり始めている。

宮崎 欧米は「戦時」という認識です。北はフィンランドから南はニュージーランドまで国民全員に外出禁止令、メルケル独首相は自主的に自宅隔離、英国はジョンソン首相、チャールズ皇太子まで感染した。これって中世のペスト騒ぎを超えています。日本政府とメディアはそれをわかっているか、はなはだ疑問でした。しかし3月29日にコメディアンの志村けんが死んだことで、多くの日本人が身近な、深刻な問題として認識を改めたところでしょう。

第2章

中国排除後の世界

一帯一路は全滅!?

宮崎　中国経済は、貿易戦争で明らかになった米中の全面対立でただで、さえ悲鳴をあげていたところに、武漢コロナの大惨禍が加わり崩壊目前です。中国を中心とした世界的なサプライチェーンが見直さざるをえず、日本、韓国、台湾のみならずアジア一帯がおかしくなる。つまり、一帯一路の頓挫《とんざ》はもはや決定的となった。本当は中国はこれを利用して「しばらく工事をやめます」と言えばいい。共産党政権の失政を新型肺炎の責任になすりつけられる。

渡邉　一帯一路は全滅でしょうね。

宮崎　ヒトの出入りが止まれば自ずとモノの流れも滞る。次はカネの流れも止まる。

渡邉　実際、サプライチェーンの麻痺《まひ》は物流の麻痺へと拡大しています。たとえば、工場が止まれば工場に入るはずの資材の搬入も止まり、倉庫に荷物があふれていく。結果的に、上流の物流が止まり、モノは身動きが取れなくなってしまう。中国近海には、そのような貨物船が多数停泊中で、輸出のための荷物も動かなくなっている状況です。一部の税関も機能が停止したままであるため、モノの出入国ができなくなっています。

そして、モノが止まれば必然的にカネも止まる。中国では感染拡大を防ぐために人が集まったり会食したりすることを制限する動きが出ており、その影響が飲食業やサービス業を直撃しています。すでに、北京市の有名カラオケ店が破産手続きに入ることが報じられているほどです。

清華大学と北京大学が中小企業995社を対象に行った調査によると、手持ちの現金で会社を維持できる時間について「1カ月以内」とした企業が34%で、85%が「3カ月以下」と回答したという。また、新型肺炎の2020年の営業収入に対する影響は「50%以上の低下」が30%、「20~50%の低下」は28%となっています。これらの結果に鑑みるに、今後の企業活動は壊滅的な状況が続き、資金ショートによる倒産や解雇が頻発するものと思われます。

中国の場合、給料日が日本ほどは統一されておらず、企業によってさまざまなため、今後は各社の給料日ごとに破綻《はたん》の動きが出てくるでしょう。そして、従業員に給料が支払われなくなれば各自のローンなども払えるはずがなく、企業への打撃は個人の住宅ローンなどのデフォルトも誘発させることになる。新型肺炎による経済停滞は、膨れ上がった中国の不動産バブル崩壊を加速させることになるかもしれない。

宮崎　不動産価格の下落はとうに始まっています。

米国の中国排除の法体制

渡邉　グローバリズムはヒト、モノ、カネの移動の自由化ですから、反対に中国を市場から排除するにはここに壁を作ればいい。ヒトの面ではビザや共同開発の停止、モノは関税や輸出管理、カネは金融制裁です。

世界で中国排除を主導するのはアメリカであることはいうまでもありませんが、中国を排除するためのアメリカの法制度は整理しておいたほうがいいでしょう。日本も世界もそれに対応せざるをえないからです。

まずヒトですが、大統領令によるIEEPA法で米国国内での経済活動を制限できます。モノは商務省の輸出管理であるEAR（輸出管理規制）とECRA（輸出管理現代化法）があり制裁はエンティティリスト、カネは財務省のOFAC（外国資産管理室）規制によるSDNリストで、資金調達や融資を含む金融取引が即時に停止されます。

たとえばSDNリストでカネの制限を掛ければドルを必要とする海外展開をしている企業は即死します。ファーウェイを例にとると、TSMCからのSOCの輸入、日本からの基幹部品の輸入が停止した時点で、製品の生産ができなくなり、取引先との契約も切れ、従業員の雇用も継続できなくなる。

3月26日のロイターによるとファーウェイへの規制強化で政権内で合意したと報じています。

まだ、詳細は出ていませんが、過去の報道によるとファーウェイへの米国原産国割合を25％からテロ国家やテロリストと同じ10％まで引き下げるもののようです。

これが実施されれば台湾TSMCなどに委託生産しているSoc（CPUに他の機能を追加した複合チップ、スマホの心臓部）などが停止することになり、次世代CPUの設計や多くのプログラムやアプリの開発も停止するでしょう。

基本的に最先端の半導体やプログラムの基本部分は米国企業が特許を保有しており、米国原産技術が含まれています。そして、それを利用した再輸出も規制対象ですから、台湾だけでなく、日本企業もその影響を受けることになります。違反すればドル決済ができなくなり、輸出企業は破綻することになります。　どちらにしても、Socが手に入らなくなれば、製品は作れません。世界各国ファーウェイを採用しても、製品の生産が停止するので、いつまで待ってもネットワークが完成しないことになりそうです。

宮崎　それもあってか台湾ＴＳＭＣは米国に大工場を新設することを決めた。

渡邉　はい、米国政府も米国に工場を作るなら、今後、軍が使用する半導体の生産を一任するといっていますね。

中国に人材を斡旋していたハーバード大教授

渡邉　米国は中国全土への渡航禁止と自国民の中国からの国外退去勧告を行っており、米航空会社も中国への運航を前線停止しております。結果的に中国の米国との共同研究や共同開発等は当面停止されるとともに、米国技術者や研究者に依存する分野の研究は停止します。また、これに先立つ形で、中国の「千人計画」に関わっていたハーバード大教授を米国は起訴しました。これは連邦資金を受けながら、中国から資金援助を受けていたことを隠蔽したためであり、ノーベル賞候補の研究者が犯罪者へと転落しました。米国当局は他にも同様のケースに関して１３０件以上、70人以上を調査しているとされており、中国に戻らない戻れない研究者が出てくるものと予想されます。

「千人計画」と言っていますが、実際は6000人程度中国政府が金を出していると言われています。

宮崎 このスパイ事件の発覚は米国に強度の衝撃を与えました。

このリーバー教授のアシスタントとして中国人「留学生」が何人か協力していた。逮捕状が出たのは二人で、うちの一人は女性スパイ（中国人民解放軍幹部の娘）、アメリカの軍事機密を盗み、中国人民解放軍に送信していた。逮捕寸前に中国へ逃亡した。

もう一人はラボ研修生と偽って、アメリカの有名な研究所から生体サンプルを持ち出そうとしていた。昨師走（19年）にローガン空港で逮捕されました。

生体サンプルといい、優秀なエンジニアのスカウトといい、生物化学兵器開発に直結する可能性が高いのではないかと思います。

その後の調べでリーバー教授は人工頭脳ならびにナノ・テクノロジー分野の専門家でもあり、その道の権威とされた。かれは米国への愛国心が薄い。リーバー教授はカフカス出身です。だから中国が目を付けた。したがってペンタゴンの解釈では、生物化学兵器開発よりも、むしろ「サイバー兵士」開発プロジェクトに関連しているという。

事実だとすれば由々しき事態です。

渡邉　3月20日、米国は外国にいるすべての米国人に対して、即座に帰国するか、無期限でそこに留まるか選択するように求めました。これは当面、米国は外国にいる米国人の帰国を支援しないと述べたのと同じです。そして、ヨーロッパや世界各国で米国人の一斉帰国が始まった。まぁ、日本や欧州など同盟国はまだしも、中国や反米国家にいる米国人にとっては非常に厳しい選択だと思います。下手にその国に残れば、反米活動やスパイ活動の協力者とみられかねない。特に情報や技術を持つ人にとっては踏み絵でもあります。

ウォール街からも中国は締め出し

宮崎　ウォール街は、コロナ騒ぎ以前から、中国企業のウォール街上場は認めない方向でいこうと決定していた。

アリババもシリコンバレーからの撤退を決めました。アリババの対米投資は2018年に、12億ドルに上っていましたが、子会社による米決済企業の買収が、CFIUSに阻まれたため、後退を余儀なくされました。おそらくインドや東南アジア諸国などにシフトするのでしょう。
またテンセントも欧州、特にドイツに投資する計画を示しています。
おそらく今後新しく、ウォール街に上場できるような中国企業は多少はあっても、今までのような大規模な起債とか、新規株主公開はできにくくなると思う。上場ができなくなるという意味は中国企業のドル調達が難しくなるのです。

渡邉　結局マルコ・ルビオなどは、中国企業をウォールストリートから完全に追い出せと言ってしまっている。なぜかというと、中国の場合、法律で会計資料や会計データを国外に持ち出せないのです。

宮崎　滅茶苦茶なのだよね。よく今まで許してきた。それにしてもフロリダ州選出のルビオ上院議員の活躍は目覚ましい。かれはキューバ系です。

渡邉　資料を持ち出せないということは、監査ができないわけだから、それを上場させていること自体がおかしい、というのがマルコ・ルビオの論説なのです。その通りなのです。となってきたときに、外貨立てデフォルトがベースになって、国内型デフォルト、人民元立てデフォルトも連鎖していく。今度、それを貸し付けていたところが潰れるでしょう。銀行に行くわね。

宮崎　中国に対する信用が一気に崩れる。

渡邉　もうすでに、スタンダードプアーズ（S&P）が、今回の武漢の新型肺炎で、ソブリン債の格下げが起きうるだろうという見通しを発表しています。格付け屋さんも、ついに中国に対して、厳しい態度をとりはじめた。

宮崎　あの格付け機関だって、金がふんだんに来たら、中国に甘い点をつけかねない。

渡邉　格付け屋さんがね、リーマンショックのあと、証券詐欺でアメリカで訴えられたときに、弁護団の主張というのが、「格付けは言論の自由」であると。アメリカ連邦法によって認められた言論の自由であると主張して、そんなもの認めるかと大批判を受けた。そもそもムーディズの最大の株主はウォーレン・バフェットで、バフェット自身が「格付けほど信用できないものはない」と言っているくらいですから。

宮崎　バフェットは金出しただけでしょう。

渡邉　もともとスタンダードプアーズという会社は出版社で、反日教科書を作ったマグローヒルの一部なのです。なので「言論の自由である」と。格付けの幹部が、全部出版社の人間なのです。非常に面白い。そんな怪しげな格付け屋すらまともな評価をつけていない。

世界から叩かれるグローバル企業

宮崎　時価総額が4社合計約3兆9000億ドル（約430兆円）のGAFA（グーグル、アップル、フェイスブック、アマゾン）も税金の問題、国籍の問題、もうひとつはプライバシーと、三つの深刻な問題で欧米からガンガン叩かれています。下手をしたらGAFAの進撃はやみますよ。良い悪いは別にして。

渡邉　GAFAは厳しい状況に追い込まれるでしょうね。

GAFAのビジネスモデルであるベンチャー買収型ビジネスが行き詰まっています。GAFAはライバルになるさまざまな新興ベンチャー企業に投資、あるいは買収して巨大化し、現在の「第3次ITバブル」といわれる状況にまで発展してきたのですが、これが、資金調達市場の異変によって、うまくいかなくなってきた。

これまでGAFAは相手先資産を原資とした「レバレッジドローン」とも呼ばれる買収方法で拡大してきました。つまりこういうことです。

新興企業の多くは、自己資金が少ない。しかし、企業の業態を拡大するには買収が必須になります。こうした際、相手先の資産を担保に銀行からお金を借りるかたちでローンを組み、これをLBOと呼びます。しかし米中対立によりこの手法がとれなくなったんですね。

それから周知のようにGAFAはグローバリズムの波に乗って、市場を世界に拡大させたとともに、本社をタックスヘイブン（租税回避地）などに移転し、母国アメリカに税金を支払わない仕組みを構築してきましたが、これが許されなくなった。

2016年4月に発覚した「パナマ文書」により、グローバリズムという仕組みが、一握りの人たちだけにしか恩恵を与えない搾取構造であることがバレてしまった。加えて、GAFAなど巨大IT企業やグローバリストの実態は、フリーライダー（タダ乗り屋）にすぎず、各国に税金を払わず、恩恵だけを受けているということも明らかになった。

たとえば、アマゾンは日本に支社を置かず、単なる営業支援の名目にすることにより、租税を回避した。営業活動をしないので、恒久的営業活動（PE）がないことが根拠にされたのですが、2017年の改正後は倉庫も恒久的営業活動の一部に含めたことによって、アマゾンも課税対象となりました。他の企業体にしても、順次法の穴を埋めており、G20も連動してやっています。

また、スターバックスがやっていたような、ダブル・アイリッシュ・ダッチ・サンドイッチという脱税方法も、2015年の時点で世界的に封じ込められました。これは何かというと、「日本で100億円の利益が出ました。フランチャイズの看板代として100億円タックスヘイブンの国から請求が来ます。看板代で100億円払います」。そうすると、利益は0になっちゃうのですよね。で、税金払わないでいい。

宮崎 逆に言うとね、租税回避ができたからみんなグローバリズムを礼賛していたのです。イギリスだって目の前にマン島があり、アメリカもバミューダにおけるタックスヘイブンを利用していた。そういうノウハウがあるから逆に、取り締まるのも楽だ（苦笑）。アメリカの書店には〝節税〟に関してのハウツウ本が並んでいます。

渡邉 しかしこうしたグローバル企業に対する怒りが、世界中で爆発しているのです。トランプが支持されているのも根底にあるのはグローバル企業への怒りでしょう。

したがって、アメリカがグローバリズムで成長してきた中国への警戒感を示し、米中貿易戦争を仕掛ける中で、中国に進出するGAFAをはじめとしたグローバル企業への締めつけが強まるのも、きわめて自然な流れなのです。

宮崎 グローバリズムって、マルクス主義の裏返しですね。

各国から制裁金を科せられる

渡邉　トランプ大統領は、アマゾンやグーグルなどのあり方自体について、「数千の小売業を廃業に追いやっている」と非難。さらに、「グーグルやフェイスブック、ツイッターは保守派や共和党員を非常に不公平に扱っている」

「この国の非常に多くの人々を黙らせようとしており、大変深刻な問題で、人々は沈黙を強いられることを望んでいない」

「適法でない可能性もあるが、どうなるかを見極めよう。われわれは公正さを望んでいるだけだ」（ロイター、2018年8月30日付）とも言及しています。

また日刊工業新聞の2018年9月23日付記事では、トランプ大統領は、連邦反トラスト当局と法執行当局に対し、フェイスブックなどのソーシャルメディア企業やグーグルに対し、反トラスト法（独占禁止法に相当）に違反する行為を行ったオンラインプラットフォームがないか徹底的に調査するよう命じたとされています。

実際、2019年9月6日に、アメリカの複数の州司法当局が、グーグルの親会社アルファベットやフェイスブックなどのアメリカ大手IT企業に反トラスト法違反の疑いがあるとして調査する方針を明らかにし（ロイター、2019年9月7日付）、ニューヨーク州を中心として、アメリカの45州以上がフェイスブックの調査に加わった（ブルームバーグ、2019年10月23日付）といわれています。

宮崎　アメリカの動きに、世界も連動しているようなところがありますね。

渡邉　EUでも2018年5月に施行した「一般データ保護規則（GDPR）」によって、GAFAに規制をかけようとしています。この柱は、EU域外へのデータ持ち出しを原則禁止とすることや、基本的人権の観点から個人データ保護の体制整備を企業に求めることなどです。

たとえば、フランス政府は、このGDPR違反を理由に、2019年1月、グーグルに対して5000万ユーロ（約62億円）の制裁金の支払いを命じています。

また、GDPRが成立する前のことですが、2017年6月にヨーロッパ委員会が、「検索市場での支配的地位を乱用した」として、グーグルに24億2000万ユーロ（約3000億円）の制裁金を命じています。この金高は過去最高。広告主のサイトが検索画面の上位に表示されるように優遇したことが、EUの独占禁止法違反にあたるという判断によるものです。

このほか、２０１６年8月には、ヨーロッパ委員会が、アップルが違法な税の優遇措置を受けていたとして、アイルランドに対しアップルに１３０億ユーロの追徴課税を行うよう命じ、２０１７年10月にはルクセンブルクに対し、アマゾンに2億５０００万ユーロの追徴課税を行うように命じています。

また、２０１８年3月に、フェイスブックは、同社のアプリが収集した約８７００万人分のユーザーデータが、２０１６年のアメリカ大統領選挙でトランプ陣営のために働いていたデータ解析企業のケンブリッジ・アナリティカに不正に流出したことを公表。これをきっかけに、IT大手、すなわちGAFA4社への風当たりが厳しくなって株価が急落。時価総額が34兆円あまり吹き飛んだと報じられています。

こうしたことを受けて、アメリカでも規制論が浮上。国内のデータセンターの一部をアイルランドに移し、EU市民のデータをアメリカが持たないようにしています。EUとアメリカの間では、情報分離がかなり進んでいるのです。

また中国でも、国内の個人情報だけでなく、企業の情報などの持ち出しに関して規制を行っており、日本だけがこの流れに乗り遅れた格好でした。

宮崎　日本政府も動き出していますよ。日本版NEC（国家経済会議）がようやく発足しました。

渡邉　NECが日本も国内から個人情報を持ち出すことに関する規制を設ける方向で動き出すことになりました。

アマゾンやグーグルは、電力の安い国など運用コストが安い場所にサーバーやデータセンターを置くという国境を越えた情報共有を大きな収入源としてきましたが、これが各国の情報持ち出し規制により成り立たなくなり始めています。

中国の監視社会に加担

渡邉　プライバシーの問題でいうと、中国は2017年時点で、中国人民の行動を全土1億7000万台の監視カメラが追っており、AIと顔認証システムで一致率は97・5％と言われていますが、GAFAがこれに協力しています。

ジョージ・ソロス氏は、GAFAと中国の関係を「米デジタル企業は、中国のような巨大で急成長する市場で活動するため、妥協する誘惑にかられている。独裁的な指導者は国民を管理する手段を強化し、米国などでも影響力を拡大しようと喜んで協力するかもしれない」（日本経済新聞、2018年3月16日）と、警戒しています。

実際、米中貿易戦争が激化するさなかにあっても、GAFAは相次ぎ中国拠点の拡大に動いていますね。

宮崎　ソロス氏といえば、トランプ大統領と習近平国家主席を悪しざまに批判しています。世界フォーラムでのスピーチで、トランプについては「自分を中心に世界が回ってもらいたい、ペテン師であり、究極のナルシストだ。大統領になるとの空想が現実になると、彼のナルシズムは病的次元に発展した」といい、習近平氏については、注意深く育まれた中国の集団指導体制を廃止し、権力基盤を固めると、ただちに独裁者になったと糾弾しました。またインドのモディについてもインドをヒンズー教のナショナリスト国家に作り上げたと非難した。

同時にソロスは世界的に反ナショナリズム教育を援助するための10億ドルの寄付を約束しましたが、これはグローバリストの悲鳴でしょう。世界で独裁者の数が増加していると嘆いています。

渡邉　GAFAが中国事業の拡大を急ぐのは、世界最大のインターネット巨大市場をねらってのことでしょう。このような海外企業が、間接的にとはいえ中国の監視体制や、人権抑圧の片棒を担いでいることは、もっと批判されるべきです。

２０１９年11月に成立した香港人権・民主主義法には、香港の自治や人権を侵害した人物に対し、アメリカへの入国禁止や資産凍結などの制裁を科すことも盛り込まれておりますが、これによりＧＡＦＡなど中国へ進出する巨大企業への監視も強化されていくことになるでしょう。

中国ビジネスで失敗するＧＡＦＡ

渡邉　こうした流れに加えて、米中貿易戦争の激化により、ＧＡＦＡのさまざまな事業が次々と頓挫しています。

中国国内での利用が禁止されているグーグルは、中国向けの検索エンジン「ドラゴンフライ」の開発を進めてきましたが、中国の人権弾圧に利用されるということで、アメリカ当局、従業員、株主らからの強い反対にあってプロジェクトは頓挫しました。グーグルのもうひとつのビジネスモデルはユーチューブですが、ユーチューブに関しては中国展開ができない。

また、グーグルはアンドロイドという携帯のOSを持っていて、それ自体はフリーウェアで、誰でもどこの国でも使えるのですが、グーグルプレイという有料アプリケショーンサービスは中国には提供できない。だから、ファーウェイの新機種にはグーグルプレイは乗っかっていない。つまり、アプリケーションを入れなくてはいけない、という状況になっています。さらに、エンティティリストの規制する比率が10％まで落ちると、ほとんどのものすべてが使えなくなる。

おそらくアメリカ当局がねらっているのは、反トラスト法によるグーグルの分社化ですね。

フェイスブックは、SNSは中国では利用できないものの、2018年7月に香港法人を通じて浙江省杭州市に技術開発の拠点を設けました。AIなどの技術開発をめざしているようですが、中国側の検閲、さらにアメリカ当局からの批判を受け、進んでいません。

また、フェイスブックに関しては、デジタル通貨のリブラがアメリカ当局から、というよりもG20からもNGを出されてしまった。さらに、フェイスブックは中国で展開しようとしていたのだけれど、中国展開できない状況に追い込まれていますね。

宮崎 リブラはもう、事実上無理でしょう。マスターカードもVISAもペイペイも参加を見送りましたから。

渡邉 厳しいでしょうね。G20から出ている声明通りなら、フェイスブックは世界各国すべての運営する国で、銀行免許を取らなくてはなりません。銀行免許を取るには、それを取る条件をすべての国で満たさなければならないということになりますから。そうすると、自由な運用なんかできるわけがなくて、チェックのコストだけで大変なことになってしまう。銀行免許をとるというのは、FATF（マネーロンダリングに関する金融作業部会）が求める、本人確認をはじめとするすべての条件を整えなくてはならないので、現在のような甘い加入条件でのフェイスブックでは不可能です。匿名で、偽のアカウントが大量にとれてしまうわけですから。

宮崎 アマゾンは？

渡邉 アマゾンはアマゾンで、中国での直営展開に失敗し、撤退しています。アマゾンのビジネスモデルのひとつがマーケットプレイスEコマース（ネットショップ）で、アマゾンが配送システムや売る場所を提供して、各企業がテナント的に入る。ここで一番の問題となっていたのが、大量の中国からのコピー商品の販売。それと、中国からの直送商品。先ほども少し触れましたが、万国郵便条約では、たとえば中国からアメリカに物を送る場合、中国からアメリカの港までは中国郵便の負担。アメリカ国内の輸送費はアメリカ郵政の負担、というかたちなのですね。トランプは、大統領になる以前から、「アメリカ人が荷物ひとつあたり10ドル近く負担させられている」と指摘していて、それが改正された。これによって結果的に、中国からの直送Eコマースなどというのは成立しなくなる。これも、事実上終焉《しゅうえん》に向かっていくだろうと。

宮崎　Eコマースなら中国にはアリババがある。

渡邉　そのアリババが今、ヨーロッパで展開を始めているのですが、アマゾンには勝てない。

またアマゾンは、中国向けデータセンタービジネスや中国との物流連携を模索していましたが、これもアメリカ当局に強い圧力をかけられています。

アメリカ国防総省へのクラウドサービスの契約では、2019年10月にアマゾンが排除され、マイクロソフトに決まりました。アマゾンは、トランプ大統領がアマゾン外しを指示したとして提訴しています。中国と関係を深めたGAFAは、次々とアメリカでの活動を制限されつつあるのです。

宮崎 アップルは中国で組み立て、中国市場をねらっているために香港では親中派のフェイスブックと並んで、評価が低いよね。

渡邉 トランプが批判していたように、アップルはテロリストなどの捜査に協力しないということが大きな問題になりましたね。2019年6月20日付のフォーブスによれば、アップルも、中国での生産に強い圧力がかかっており、iPhoneの製造を中国以外に移す動きを加速させているそうです。

巨大IT企業の外核企業や技術提供企業の多くが、ベンチャーキャピタルが投資対象としてきた新興企業であり、本体の計画が頓挫することで、当然、そうした企業の多くも計画変更を求められることになっています。そして、これは、いわゆるグローバル化で大きな恩恵を受けてきた企業と、ほとんどかぶりますね。

GAFAにしても、中国の巨大IT「BAT」（バイドゥ、アリババ、テンセント）にしても、市場の飽和に苦しんでいます。

拡大を続けるには新たな市場の開拓が必要であるが、その市場を見つけるのは困難であり、米国と中国の分断がそれをさらに難しくしている。また、電子決済などのプラットフォームに関しても各国の規制が厳しくなるとともに、競争による手数料低下が顕著化し始めており、成長という面では厳しい状況になっているといえるでしょう。

反中にシフトした台湾

宮崎　米中により分極化する世界がその後どうなるか考えていきたいのですが、コロナ後、はっきりと反中を示しアメリカに寄ったのは台湾です。

台湾は総統選挙が1月に終わり、蔡英文《さいえいぶん》が勝利しましたがこの政権は次へのつなぎですよ。今後、台湾政治が前途多難なことは指摘するまでもない。当面、一国両制度をきっぱりと拒否し、「現状維持」を継続しつつ、アメリカの支援を拡大し、次の２０２４年の総統選挙に備えないと。このときには、本格的な独立派の人が出てこなければいけない。それを覆すほどの力は、もう国民党には無いと見ていいでしょうね。そうなると、具体的な人名を挙げれば、いま副総統の頼清徳《らいせいとく》政権が成立したとすると、今からの4年と頼清徳の8年とで合計12年。この12年の間に、台湾はちゃんと体制を固めておかないと、ちょっとややこしいことになるでしょうね。中国の軍事的な脅威は高まる一方ですから。

渡邉　だから、頼清徳氏という人は、知日派であり親日派であって、台湾独立を掲げている。台湾という島国は、九州とほぼ同じ面積で、人口は2300万人。台中のところに、赤道の北回帰線が通っており、真ん中より上は亜熱帯、下は熱帯地域という国。台南、台中の地域が、特に日本に対するシンパシーが強い地域です。なぜかというと、烏山頭《うさんとう》ダムによって。そもそもあのあたりは、年に1回穀物が作れるか作れないかといった地域だった。そこに戦前、日本が烏山頭ダムと5本の用水路を作った。そのお陰で、四毛作可能な豊かな大地に変わったのです。

宮崎 激変といってよいですね。

渡邉 その時代からのつながりがあって、台南出身の頼清徳は親日色が強い。今、頼清徳は、「第二外国語としてふたたび日本語を戻そう」とまで言っている。

宮崎 相当な親日派だと聞いています。

渡邉 これは、民進党のひとつの闇の部分でもあるのだけれど、民進党はずっと野党だったわけですね。当然、富裕層とか既得権益に対するルサンチマン的な政策要素が強い。つまり、政策的には社会党的な要素が強い。特に蔡英文はリベラル色が強い。だから、同性婚だとか、反原発だとかを、推し進めようとした。これがですね、前回の中間選挙の敗北原因のひとつでもある。台湾は、キリスト教が結構強い土地です。そして、仏教徒も多い。

仏教も、キリスト教も、基本的に同性婚には反対ですから。

宮崎　そうですね。キリスト教の中でも台湾で最強は長老会派です。この教会がミサを行いつつ、じつは独立運動家の秘密集会の場だった。

渡邉　特に南部の田舎の地方は、日本の家制度に近い考え方を持っている。頼清徳の考え方はそうした地域の考え方とほぼ合致するのだけれど、リベラルな蔡英文は、そうした人びとの志向とはまったく違うことをやった。それが結局、民進党の票割れを生んでしまって、前回の地方選挙の大敗北につながった。今回、ナンバー2に頼清徳が入ったことで、民進党がどこまでナショナリズム方向に舵を切り替えることができるのか、ということがひとつの大きな焦点でもあります。

宮崎　台湾ナショナリズムってのもあるわけだ。

渡邉　それも解っていて頼清徳は、別候補としては立たず、副総統の席に甘んじて、結果的に民進党を勝たせるという選択をした。台北では蔡英文の人気はそれなりにあるのですが、台南、台中に行くと蔡英文の人気は一気に下がる。そういう構図になっているのです。

宮崎　バプテストたちの台湾喜楽島連盟、これも大惨敗でしたけれど、これが総統に担ごうとしたのが呂秀蓮《りょしゅうれん》です。陳水扁《ちんすいへん》のときの副総統ですが、この人は、もっとリベラルなんだよ。それでフェミニズムでしょ、女性解放。同性愛結婚はもちろんOK。民進党はとうにこの女性は排除してきている。だから呂秀蓮、民進党からはもう出られない。その背景には、台南、台中の地域性もある。

渡邉 国民党は国民党で、この後、大陸にさらに寄っていくのか？ それとも、民族派を中心に分裂していくのか？ わからないけれども、もうこの状況において国民党がふたたび権力を得るというのは、かなり難しいでしょうね。

宮崎 そうです。難しいでしょうね。ただし国民党の大半も本省人ですし、選ばれる国民党の立法委員の8割は本省人です。

渡邉 民進党は野党が長すぎて、与党経験がないものですから、今、国民党からかなりスタッフが入っている。政策的な問題点も、これで少しは緩和されていくのではないかといわれていますね。これって、アメリカで起きている、共和党と民主党との対立とも、日本で起きている、自民党と立権民主党との構図も、全部一緒なのですよね。

宮崎 似ているといえば、たしかに似ているのだけれども……そもそも台湾の政治は、いってみれば日本の政局のオウム返しみたいなところがあってね、だいたいが似ているでしょう。小選挙区、比例代表、並立制なんてのは、日本のシステムを持ち込んでいるのだから。

渡邉　日本の社会システムをほとんどそのまま転写したのが台湾ですからね。もともと台北の町は後藤新平が作ったわけだし。碁盤の目切ってね。

宮崎　国民党の党営企業は、日本の財産だったものを、みんなタダでくすねたのですからね。それで、世界最大財閥の政党になって、しかし、それをもう、ほとんど使い果たしてしまった。

渡邉　前回、政権を失うだろうとわかった時点で、国民党は資産をほとんど売却してしまっています。それも、国民党の関連企業にえらく安い値段で売却した。それ今、問題になっているわけですけれどね。

宮崎　酷いねえ。

渡邉　その一党独裁の構図から、公務員・軍人イコール国民党員だった時代が台湾においてもあるわけですよ。にもかかわらず、公務員や役人が多い新北においても、国民党が負けるということになってきている。これは、かれらの利権がすでに失われてしまっている、ということですよね。

宮崎　見放されてしまったわけだ。

渡邉 国民党の議員では、台中の有名な、親子2代にわたってやっているヤクザ候補も敗北している。いわゆる利権の親玉で、自民党でいうと土建族のドンみたいな議員が、ほぼ全滅したのです。

宮崎 もっとわかりやすくいえば、金丸信的体質や浜田幸一的体質の人たちは、もういらないということですよね。新陳代謝があってよかったのではないかと思いますね。

渡邉 今回の選挙で落ちた。落ちたイコール利権が失われたということなので、従来の間違った方向の支配構造は壊れていくのではないかと、想像できますね。

政治的には第三戦線、軍事的には第二戦線の台湾

宮崎 中国と台湾との関係でいいますと、50年も自然の独立国家である台湾というのは、このまま自然に流れていって、アメリカが強いエンドースをもらって、西側社会が台湾の価値観を共有する。民主主義と自由という価値観を共有するということでね、もっと自然に台湾が立ち上がれば、中国としてはもう、吠えるだけで、何の手出しもできなくなる。そういうのが、近未来に見えている図なのだけれど、もうひとつは、習近平が面子《メンツ》にかけ

て軍事行動を起こす可能性があるのではないか。

渡邉　ゼロではない。１月12日の総選挙のときに、アメリカの陸軍が台湾より南部にふたつ、アメリカ軍の軍事拠点を作ると言った。それに先立ち１月10日に茂木《もてぎ》外務大臣がフィリピンのドゥテルテ大統領と会って、フィリピンの南シナ海防衛に日本は積極的に関わっていくとアナウンスメントした。もともと、２０１５年の時点で米軍は、フィリピンのスービック基地を復活させると言っている。スービックは、かつて米軍の世界最大の海軍基地です。

宮崎　重要拠点ですね。そのスービック湾の周りに工業団地が造営されて、中国企業も進出しています。

渡邉　フィリピンは当時、これを復活させるということで合意した。ところが、ドゥテルテ大統領になってペンディング状態になった。これが去年の５月27日、トランプ大統領来日のときに動いたのです。翌日28日にアメリカ上院軍事委員会のお歴々が、ご一同様で日本に来た。この28日というのはドゥテルテ来日のときでもあり、ドゥテルテとその際に何らかの話し合いを行ったといわれています。

その大きな流れの中で、今回、選挙当日にアメリカ軍が台湾より南部にふたつ、アメリカ軍の軍事拠点を作ると言った。

宮崎 なかなか意味深です。

渡邉 今まで台湾は、第一戦線だったわけですね。政治的にも台湾海峡が、中国との……つまり西側と東側の対立点であり、南シナ海方面においても、まあ、対立点というかたちだったのですけれども、これがフィリピンまで戦線がくだると、台湾は軍事的には第二戦線になる。

宮崎 そのフィリピンは米国との地位協定を失効させた。ドゥテルテ大統領って、かなり乱暴なことを平気でやってのける。

渡邉 政治的にいえば香港デモが起こったことで民主主義と共産主義のイデオロギー的対立が、中国本土にまで入り込んだ。さらにアメリカは、後追いをかけるようにウイグルまで突っ込んじゃった。ということは、台湾は政治的には第三戦線まで落ちているわけです。軍事的には第二戦線で。こういう大きな流れの中での、今回の総統選挙だったのではないかと思います。

食えないフィリピン

宮崎　２０２０年の1月にフィリピンの軍と、中国の軍が共同演習をやっているのですよ。それは、アメリカともそんなに近くはないよ、というドゥテルテのひとつのパフォーマンスなのか。あるいは中国がドゥテルテ政権をおだてるために仕組んでいるのか知らないけれども、非常に奇妙な動きがありました。

渡邉　ドゥテルテは本当に食えないですから。フィリピンも、親米と親中の間で揺れる国なのですね。なぜかというと、フィリピンの財界には、華僑が非常に多い。

宮崎　金融と流通はほとんど華僑が牛耳っている。マニラのチャイナタウンへ行くとピカピカのショッピングモールがあって中国語の看板だらけ。レストランも結構高かったですよ。

渡邉　そういう構造の中で、フィリピンも親米政権が生まれたり、親中政権が生まれたりと、ひっくり返りが起こる。フィリピンの前政権は明確な親米政権だったのですが、現ドゥテルテは玉虫色の人で、中国にも、アメリカにも、どちらにもいい顔をしている。

宮崎　食えないね。
渡邉　フィリピンの最大の問題は、中国に電力を牛耳られていることです。中国政府の意向で、フィリピンの電力を止めることもできてしまう。これは非常に危険なことです。日本側もこの状況の危険性を理解したうえで、フィリピンを支援しようとしている、という話も聞こえてきています。
宮崎　電力会社を中国が持っているなら対策は簡単ですよ。国有化宣言すればいいのだから。
渡邉　しかし、コントロールソフトから全部が中国ですから。
宮崎　まあ、要するに華僑資本なんです。証券取引所からなにから、タクシー会社は違うけれども、ホテルだって半分以上中国だしね。マニラにボンボンと雨後の筍《たけのこ》のようにマンションが建っているけれど、華僑がほとんどを買っていますよ。2016年の春と秋の2回マニラへ行きましたが、ものすごい勢いで分譲マンションが建ってました。
渡邉　華僑の影響力は大きいですね。
宮崎　ドゥテルテで面白いのは、この人はミンダナオの人なのですよ。ミンダナオは、要するに反ルソン島なのです。このミンダナオ・ナショナリズムと、フィリピンのトータルとしてのナショナリズムとはちょっと違ってね。ま、バナナナショナリズムって言われてますが（笑）。

渡邉　違いますね。

宮崎　もうひとつは、ドゥテルテは中国に寄っているなぁと思わせながら、心中穏やかじゃないのは、あまりにも中国のフィリピンに対するやりかたが出鱈目《でたらめ》でね。

渡邉　「フィリピンに対して開発投資をする」というのだけれど、口だけで、実際は何もしないという中国の基本姿勢がありますね。それは、フィリピン国内ばかりでなく、まあ、アジア全域、アセアン全部で中国がやっていることなのだけれど。中国は大風呂敷は広げるのだけれど、その後は餌をやらない。

宮崎　餌やらないというか、違う餌を与えるのですよ。カジノホテルをいくつも建てるとかね。

渡邉　違うところへ持っていってしまう。

宮崎　マニラということで言えば、ＡＤＢアジア開発銀行の本店はマニラですね。あそこに世界中からバンカーが揃っていて、職員だけで千何百人かいる巨大なビルですよ。で、ＡＩＩＢ（アジアインフラ投資銀行）はお金が無いから、ＡＤＢとの共同融資をして、16件くらいの融資のうちＡＩＩＢが単独でやったのは4件だけですよ。つまり、日本が牛耳っているＡＤＢだけれども、本店はマニラにあるというややこしい関係。

もうひとつ、実は今、フィリピンが一番困っているのはマカティの問題なのです。あそこにカジノホテルが20何軒かできてきて、まずホテルは全部中国資本、ディーラーは全部中国人、ホテルのボーイも全部中国人。10万人の中国人がカジノ関連で来ている。不法入国者を含めると40万人といわれます。

渡邉 入植しちゃっている状態ですよね。

宮崎 そうだよね。そして、ここに博打にやってくる90％は中国人。で、博打はだいたい負けることになっているから、負けるでしょう。で、金払えないと誘拐する。身代金を払うまで、マニラで拘束しちゃう。こういう犯罪がすでに50何件起きている。

渡邉 治安が悪くなっていますね。

宮崎 そして、もうひとつ付きものの売春。売春婦がまた、中国本土から大量に来ている。マニラで一番綺麗《きれい》な町であったマカティが、今や最も犯罪が頻発する売春の町になってしまった。これは、フィリピンも計算外でしょうね。

オーストラリアでも高まる反中感情

渡邉　オーストラリアで、中国のスパイ事件がありましたね。

宮崎　王立強《あうりつきょう》事件ね。2019年4月にオーストラリアに入国して、オーストラリア保安情報機構（ASIO）に「投降」した自称元中国共産党のスパイ。オーストラリア政府に庇《ひ》護《ご》をしてもらう代わりに、自分が関わってきた中国共産党の諜報活動に関する証言や証拠を提供するとした。2019年11月に王立強はオーストラリアのメディアの取材を受け、解放軍総参謀部に属するスパイであること、香港や台湾で浸透工作や世論誘導工作に参与してきたことなどを証言した。香港の「銅鑼湾《どらわん》書店」関係者拉致《らち》事件に関与したとも告白し、話題になりました。慌てた中国は王立強はカネに汚いドブネズミのような奴で、言うことはすべて信用できないという反撃情報を流しています。そうやって声高に否定すればするほど王立強の暴露したことは真実に近いことを逆証明した。

こうした事件もあって、オーストラリアの中で、ものすごい勢いでチャイナパージが始まっています。これにファイブアイズ、大英連邦の諸国が連動して中国排除に動いている。

非常に象徴的な話ですね。

高まるアジアのナショナリズム

渡邉 中国忌避の流れがアジア各地、世界各地で現在起きており、これを、それぞれの国の人たちがどこまで許すのか。明らかに、中国の進出が行き過ぎちゃっていますから、しっぺ返しのようなものです。それが結局、各国のナショナリズム運動に火をつけ、さらに今回の肺炎で加速する。

宮崎 台湾、香港でも独立色が強くなり、かの香港でさえ若者たちが香港民族党を立ち上げました。

渡邉 ナショナリズムは決して共産主義の対義語ではなく、共産主義ナショナリズムというのもあるわけですよね。右の方ほうの資本主義のナショナリズムであれば、選挙で綺麗に片づけられるけれども、共産主義のナショナリズムというのは、国有化してしまえばいいのだから。中国がその国で買ったものを勝手に。決してできないわけじゃない。

しかしそれをできなくさせるために、中国は海軍力を強めた。共産主義ナショナリズムで国有化しようとする国に対して、武力で脅しつけて、それをさせないと。中国はそういう方向に動いているので、アメリカは非常に強い危機感を持っている。

宮崎　もう、中国に対して抗う力も無ければ、抗おうという感情も無い国がカンボジアとミャンマー。特にフンセン独裁のカンボジアで何が起こっているのか、真相は薮《やぶ》の中です。北朝鮮と同様に本当の感染者数も死者もわかっていません。

カンボジアの政治は、立憲君主国と外見の装いはあっても、内実は中国と同様な独裁体制、一党支配の議会、言論の自由はなく、野党指導者はタイか、ほかの国へ逃げちゃって不在、メディアは99・9％がフンセン支配下にある。

だからカンボジアの支配層を「クメール・ルージュ」から「クメール・リッチ」へ、というジョークが流行しています。

そこで、フンセンは大胆にも感染者が居るクルーズ船のシアヌークビル港への寄港を受け入れ、一部はヘリコプター輸送して国際空港へ運び、故郷へさっさと帰した。なんせ、中国の赤い資金で成立するカンボジア経済は、フンセン一族の最大利権となり、国内には漢字の看板の公立学校が無数にあり、豪華マンションはすべてが華僑資本です。

フンセンは2月にも中国を訪問し共産党幹部らと固い握手を交わし、世界が忌避したクルーズ船を受け入れ、乗客と握手をかわす政治的なパフォーマンスを見せつけた。直後にフンセンは秘かにシンガポールの病院へ飛んで、コロナ検査を受けていたんです。

カンボジアの医療設備は貧弱このうえなく、公共の医療機関が少ない、医者も足りないからです。なにしろクルーズ船乗客を検査して「陰性」とされて国に帰った乗客の多くが帰国直後の検査で「陽性」だった(笑)。ベトナムは、中国からの投資は大歓迎だけれども、やりすぎると必ずアンチチャイナで「中国は出ていけ」というデモが起きる。新聞はあまり書かないけれど、フィリピンでもアンチチャイナの動きは多いですよ。そこいくと、今、非常に微妙なバランスの中に埋没しているのがマレーシアですね。マレーシアもマハティールによって奇跡の復活を遂げたけれども、アンチチャイナかと思ったら、全然そうではなかった。シンガポールはどうしようもない、イデオロギーは反中、やっていることは親中。

渡邉 南北朝鮮といわれている。

宮崎 そのくせ、シンガポールはアメリカの空母の寄港はOK。日本人に人気のマリーナベイサンズ、あの実体はカジノホテルですよ。

渡邉 結局、金で動いている側面というのがありますね。ナショナリズムと金。票と金の話になってきて、民主主義国においては、貧者の1票が政治を決めてしまいますからね。金持ちも貧乏人も1票は1票だから。ベトナムは、いまだに一党独裁の共産主義国ですから。だから、中国に対抗しようと思ったら、国有化を一番しやすいのがベトナム。

宮崎　ある意味、韓国だけじゃないわけです。

ミャンマーへも中国の「借金の罠」が

宮崎　2020年1月17日、習近平主席はミャンマーを訪問しました。目的はシルクロード構想（一帯一路）の目玉プロジェクトのひとつ、チャウピュー港湾整備事業（免税工業特区建設など）で、スリランカのハンバントタ港、パキスタンのグアダル港、そしてバングラデシュのチッタゴンの浚渫《しゅんせつ》工事請負、モルディブの無人島開発など、「借金の罠《わな》」作戦の一環と考えられます。これに、とりわけ警戒を強めているのがインドでね。

チャウピュー港は中国へ向かうガスパイプラインがすでに敷設されており、雲南省の昆明と結んでいますが、地中にパイプラインが埋められているので、現場へ行っても運転手の指摘があるまでわからなかった。チャウピュー郊外に広がる広大な土地——台地のような農業地帯と山林――はすでに中国が買い占めており、大きな看板と事務所のビルが建っていた。しかし2018年初夏の頃には、工業団地や港湾などの工事を始めた様子もなかった。けたたましくも勇ましい掛け声だけで、実態がない。チャウピューはもともとインド系が強い地域だったのですが、中国系が目立ちだすとインド資本との対立も起こりかねない。

渡邉 ありがちですね。

宮崎 工事の遅れの原因には、ラカイン州の地政学的要衝において、チャウピューが適切か、それとも北のシットウェイ港のほうが適切かを判断しかねたこと、スーチー政権が最終的な態度を示さなかったことなどもあるのです。ラカイン州は、ロヒンギャが集中して住んだ地域であり、仏教過激派がイスラムのロビンギャを追い出し、かれらはバングラデシュに逃れた。最低でも70万人が、国連の援助でテント生活しているけれどスーチーには解決する能力がありません。

渡邉 大きな問題ですよね。

宮崎 このロヒンギャ難民問題で世界のメディアが騒ぎ、ミャンマーは国際的孤立を深めていたうえ、当初示された中国のプロジェクト予算があまりにも膨大で、総額70億ドルをミャンマーが最終的に支払えないことが明瞭《めいりょう》になった。したがって13億ドルへの減額という決定がでるまでに時間を要したわけです。こうしてミャンマーが国際的孤立に追い込まれた隙間《すきま》に、中国は忍び込むようにしてスーチー政権に近づき、昨年は王毅《おうき》外相が首都ネピドー入りして、最終案を煮詰めていた。ミッソンダム建設中止で冷却化していた中国とミャンマーの緊張関係は、突如、友好関係に変貌《へんぼう》。つまり1月17日からの習近平訪問は、段取りがついたからとみるべきで、手土産は13億ドルの港湾開発だった。

そもそも赤い資金と軍事支援はアジア諸国にとっては魅力なんです。2019年末にはバングラデシュ、2019年6月にはスリランカへ、プロジェクトの決定前に中国はフリゲート艦を寄贈している。ミャンマーにも、贈り物があるでしょう。ミャンマーの政治実権はスーチーにはなく、軍が握っている。だから、何らかの軍事的な装備の贈り物があったのでしょうね。

渡邉　ありそうなことですね。

宮崎　地政学的に見れば、南シナ海からマラッカ海峡を抜けてカンボジアのシアヌークビル港はすでに中国の「領土」然としており、スリランカのハンバントタ港はすでに99年間の租借が認められ、中国の軍港に化けている。つまりアンダマン海からベンガル湾を扼《やく》する軍事態勢が中国基軸に変貌してしまっているわけです。

渡邉 そうですね。

宮崎 さらにインドの南端を北西に舵をきればモルディブ、そしてパキスタンのグアダル港。その先がホルムズ海峡、紅海ルートでは入り口に位置するジブチがすでに中国の軍事基地と、今や歴然と中国の軍事力突出地帯となってしまったのです。

渡邊 今アフリカなどでも新型肺炎患者が出始め、蔓延している。一帯一路で中国人が大量進出している国では、当然、国民の意思によって、民主主義による政権交代が起きれば、中国人を追い出せという排斥の動きが一気に進む可能性が高いと言えますよね。ソロモンとかもそうですよね。

宮崎 ソロモン諸島は中国を病原国とは名指ししていないし、日本からの便を止めるというのはどうかしています。

渡邉 感染者が出た国のものをすべて止めるという。香港もそうですよね。完全に本土と交通遮断してしまっている。香港の医者が、遮断しなければストをやると言って、医療機関を全部止めると言っている。

宮崎 今までは「時代革命、光復香港」だった。今は「康復香港、時代抗疫」非常に細やかな違ったスローガンを出してきて、笑えるのです。漢字の国だから、次々と洒落たスローガンを出してくる。それで医者がストをやっているでしょう。2500からいきなり4000人になって、これみんな医者のストのように見えますが実態は民主派の第2段。というのは、去年までのいわゆる香港大乱で、結局7000人逮捕されているのですよ。これまでに1100人起訴されていて、たとえば、火炎瓶を投げたという証拠が固まって起訴されると、最悪禁固18カ月、だいたい禁固4カ月から18カ月。これは、その人の人生は非常に暗くなる。

というとことで今、抗議のスタイルを変えているんだよね。要するに、疫病に乗っかって、ちょっと違うスタイルで世界にアピールできないかと。香港は去年のGDPはついにマイナス1・2でしょう。ま、日本よりはマシでしたが……。

世界中で反中政権が生まれる理由

渡邉　結局のところ、中国の一帯一路の本質とは、金による買収モデルであり、新興国など貧しい国への投資と政治家や有力者に対する資金援助で成り立ってきました。半面、地元の雇用などはほとんど生まれず、それが地元住民との対立を生んできました。普通選挙が行われている国では、豊かでも貧しくても1票は1票であり、今回のような疫病は貧しい層に大きな負担が行きます。そして、この多くの人たちが中国に対する不満を政治にぶつけることになります。そして、反中政権が生まれてゆくのだと思います。

この現象が最初に起きたのが台湾であり、次に起きたのが英国のブレグジットであったといえるのでしょう。習近平の国賓訪問、英国の保守層が激怒し、ブレグジットにより親中政権であったキャメロン政権が引きずり降ろされた。

この問題がウイルスを通じて世界に伝播したことで、世界中の対応が大きく変化するものと思われます。

そして、わが国日本もそれに倣っているといえるわけです。

これからこれが欧州の大陸国家と貧しい新興国に広がってゆくのでしょう。

そして、新興国の多くは一帯一路の債務により破綻危機に陥るわけです。この不満も中国に対する風当たりを強くすることになり、国際社会は中国への債務の棒引きとその後の、IMFなどによる国際支援に切り替えることになるのだと思います。IMFや世界銀行の決定に拒否権を持つ米国はその意思を明確にしており、中国の排除が世界で進むと想像されます。

宮崎　ＩＭＦに債務国が救済を申請しますと、債権国、たとえば中国は80％の債権放棄を迫られます。

第3章

半導体・スマホ・ポスト5G、世界「技術戦争」の行方

半導体をめぐる世界の勢力図

宮崎　世界は中国排除で進むとしても、それは実現可能であるのか。従来的な軍事対決という図式はもはや古く、米中新冷戦の雌雄を決するカギを握るのは技術です。そのあたりから論じましょう。

渡邉　技術の話でいえば、今、最先端で衝突しているものは、半導体とスマホ、いわゆる次世代通信システム5Gをめぐる攻防です。

宮崎　習近平の目玉「中国製造2025」でも半導体の内製化を第一の目標に掲げています。

ここで半導体をめぐる世界の企業の勢力図を整理しておきましょうか。

渡邉　そもそも「半導体」とは何ぞやといえば、物質には金・銀・銅など電気を通す「導体」と、ゴムやガラスなど電気を通さない「絶縁体」がありますが、半導体は「半」というようにその中間の性質を備えた物質のことです。電気の流れをコントロールするトランジスタや一方向に電流を流すダイオードなどの個別半導体のほかに、ＩＣ（集積回路）を総称したものを指す。

いずれにせよ、半導体はパソコン、スマホのみならず、デジカメや音楽プレイヤー、炊飯器やゲーム機に至るまで、ありとあらゆる電化製品に欠かせないキーパーツで、ＡＩの進化も半導体が握っています。

半導体製品で一番身近なのは、メモリである「ＤＲＡＭ」や「フラッシュメモリ」でしょう。ちなみに前者は「ＲＡＭ（Random Access Memory）」であり、後者は「ＲＯＭ（Read Only Memory）」で、その大きな違いは、データの書き換えが可能なＲＡＭに対し読み出し専用で電源を切ってもデータが残せるのがＲＯＭなのですが、ＲＯＭなのに書き換えも自由にしたのがフラッシュメモリです。

また、パソコンの頭脳に当たる「ＣＰＵ」（中央演算処理装置）や、デジタル信号の処理に特化した「ＤＳＰ」。照明の「ＬＥＤ」（発光ダイオード）も広義の半導体の一種ですね。

宮崎　かつては日本のお家芸でした。

渡邉　今回の米中貿易戦争を分析するに当たって重要なのは、ＣＰＵを含めスマホのシステムを動かすために必要なパーツをあらかじめまとめた「ＳｏＣ（System on a Chip）」とＤＲＡＭ、フラッシュメモリという三つの半導体製品です。「中国製造２０２５」の半導体も、やはりこの3分野にファンドを作り集中投資を行うことにより内製化をめざしています。

現在の半導体製品の生産体制は、シリコンバレーを中心とした米巨大IT企業のような工場など生産設備を持たないファブレス（ファブ〔fabrication facility＝工場〕とレス〔less＝ない〕が組み合わさった言葉の略語）メーカーと、その製造を請け負う台湾、韓国などのファウンドリ企業に大別され、そこに半導体を作るための装置を作る半導体の製造装置メーカーとして入り込んでいるのが日本という構造です。

つまり、設計製造技術や製造機器、基礎材料などを先進国が保有しており、組み立てを台湾・韓国が行っているのに対して、中国はそのすべてを自国で内製化できる仕組みを構築しようとしているわけです。

一方アメリカにとって一番の問題になるのは、ＤＲＡＭやフラッシュメモリなどではなく、スマホの心臓部となるＳｏＣの生産です。

ＤＲＡＭの生産は韓国がシェアを握っていますが、米国メーカーマイクロンがある。マイクロンは旧エルピーダを取り込んでおり、日米合作メーカーです。そして、フラッシュメモリはキオクシア（旧・東芝メモリー）も高い技術を持っている。このため、この部分は大きな問題になりません。

もともとパソコンのCPUに強かったのは米・インテルだったのですが、スマホ時代となって最新のSoCを製造する最大手は台湾の半導体メーカーTSMC（台湾積体電路製造）と韓国サムスン電子しかありません。逆に言えば、ここを取られてしまうと先端技術戦争で米国が敗北することになってしまう。

宮崎　日本のお家芸といわれた半導体の生産拠点がいつの間にか韓国と台湾に移っていたわけです。

渡邉　当然、これにくさびを打たなくてはいけません。それが中国の半導体メーカーJHICC（福建省晋華集成電路）への製造機械の輸出規制であり、新ココムECRAの中核になります。

ファーウェイ以外にもアリババが中国独自のCPUの設計に成功しましたが、これも西側の生産設備とファウンドリなしでは生産できないわけです。

だからこその今回の輸出管理の厳格化であり、グローバルサプライチェーンの再構築とそれにともなう日米などへの生産回帰の動きの促進なのだと思います。米国にもサムスンのファウンドリが存在し、グローバルファウンドリーズなどまだファウンドリは残っています。ですから、米国内でのファウンドリの更新と先端プロセスの移転を進めたいのだと考えます。アップルのインテルモデムチップ部門買収もこの文脈に沿ったものなのかもしれません。

宮崎　そうですね。半導体製造措置や設備を中国が作れないというアキレス腱《けん》がある。

台湾ＴＳＭＣとサムスン

渡邉　米国は英国に対して５Ｇでのファーウェイを採用しないように再度の圧力をかけるとともに、台湾ＴＳＭＣへの圧力も強化しています。

現在、米国のエンティティリストでの米国原産技術割合は25％、米国企業以外の場合、25％以下のものは自由に販売できますが、これを超えると米国の規制に掛かります。しかしこの規制では不十分であるという声が強く、これが10％まで引き下げられる可能性が高まっています。

すでに米国当局が台湾にその可能性を通知したという話も出ています。これが決まれば、台湾ＴＳＭＣによるファーウェイのＣＰＵの受託生産ができなくなります。２０１９年に台湾TSMCは3000人規模の技術者募集と生産設備の拡大を発表しており、新規の工場建設にも言及、米国での生産もありうるとしてきた。2020年1月15日、米国はTSMCに対して、軍事用半導体の米国生産を要請したことが報じられ、米国での半導体生産がほぼ確定的になりました。

これが実現した場合、米国は最新鋭の半導体生産設備を国内に確保することができるようになるとともに、中国への販売を規制できる環境が整備されることになる。

宮崎 それがわかっていますからTSMCは二股《ふたまた》かけているでしょう。TSMCは次世代ジェット戦闘機F35仕様の半導体を製造していて、このハイテク兵器部品が中国に流れる可能性が高いため、トランプ政権は執拗《しつよう》な圧力を継続していました。その制裁を回避するため、中国に合弁企業を新しく作り、この面妖な合弁企業に、なんとエンジニア3000名の台湾人が移籍したといいます。表向きの理由は給料が2倍なので、高給に釣られて引き抜かれたと言っていますが、これって最初から出来レースくさい。

渡邉 ただ、アメリカがオランダの半導体製造マシンメーカーASMLに対して、中国への販売を止めてしまいましたから、いくらTSMCが中国企業との合弁会社で作りたくても、作るマザーマシンがないし、作れるのはプロセスが古いのです。現在のCPUのプロセスサイズ（ルール）は7nmですが、TSMCはすでに5nmプロセスへの移行を進めており、3nmのテストプロセスも始まっているといわれています。また、次期iPhoneのCPUは5nmでの生産が予定されています。

nmは半導体内の線の太さでのことであり、それが細くなればなるほど抵抗が少なくなり発熱も抑えられ、省電力化とともに高速化をもたらし、小型化もされます。前述のように最新鋭の技術を持つのは台湾TSMCと韓国サムスン2社だけですが、台湾TSMCが一歩進んでいる形になっています。

また、この最新プロセスに対応できるのは、日本の99・999999%という超高純度のフッ化水素のみであり、これがなければ生産ができない。また、それに対応できる超高純度のシリコンウエハーも日本のSUMCOと信越化学の2社がほぼ独占しています。

したがって、韓国への輸出管理強化は、米国連携での韓国への圧力とみることもできるわけです。サムスンは最新鋭の半導体を生産できるが、それは日本の基礎材料があってこそであり、日本抜きではサムスンの半導体生産は成立しない。そして、中国への製造移転に対する警告的な意味もあるといえます。

そして、今回のファーウェイに対する規制強化です。ファーウェイは子会社のハイシリコンのオリジナルチップで５Ｇ展開を進めようとしていた。設計はもともとクアルコムから得た技術を発展させたハイシリコン、生産は台湾ＴＳＭＣという構造だったのです。また、設計の過程で英国ＡＲＭの技術が使われ、米国の設計支援会社のソフトも用いられている。

つまり、規制強化でファーウェイはＳｏｃを手に入れられなくなるのです。また、基本設計と設計支援ソフトも使えなくなるので次期の製品開発もできなくなる。

当然、この動きに気が付いている中国は、自国内での半導体生産体制を構築しようとしていました。まず、台湾ＴＳＭＣに最先端プロセスの中国移転をもとめたわけですが、台湾政府がそれを許可しなかったわけです。もともと、中国は台湾から大量の技術者を輸入しており、中国最大の半導体製造専門企業である中芯国際集成電路製造（ＳＭＩＣ）でなどが最先端プロセスでの国内生産を開始しようとしていたわけです。

これに対して、米国はオランダ政府に圧力をかけ、世界で唯一の最先端プロセスの製造装置メーカーであるＡＳＭＬの中国向け輸出を禁止してしまったのです。ですから、中国は製造装置が手に入らなくなり、国内半導体生産計画はとん挫したわけです。これで国内で製造するという目もなくなっていたのです。

6Gに言及するトランプ

宮崎　次に5Gについてですが、トランプは一足飛びに6Gに言及しています。

渡邉　「G」というのはゼネレーション、世代という意味です。1Gが昔あったショルダーフォン、アナログ電話、2Gがデジタル携帯、3Gになるとiモードやezwebなどの通信ができる携帯、そして4Gが今のスマートフォンです。それで5Gがどういうものか簡単にいうと、これまで片側相互通行だったのが、一気に片側100車線程度まで広げる、という規模になります。

宮崎　率直に言って個人ユーザーなら4Gで十分でしょう。

渡邉　そうです。したがって5Gというのは電話ばかりではなくデジタルによる新たな社会インフラ構築のことです。自動運転、スマートグリッドと呼ばれる電力の効率化、医療の遠隔操作を可能とします。たとえば、糖尿病の患者たちにホストコンピューターが直接つながり、必要な際にインシュリンを打つといったような治療をリアルタイムで行えるようになる。

宮崎 中国はそれを悪用して超管理社会を作ろうとしているわけだ。

渡邉 ですから、逆に言えば、5Gの世界は通信ネットワークテロの危険性の増大を意味します。アメリカはファーウェイ排除の口実として個人情報の保護やスパイ活動を問題視していますが、本当はサイバーテロです。個人の情報なんて盗まれたところで大した問題ではないけれど、ネットワークが破壊されれば、AIの自動運転による自動物流が止まる、電力も止まる。下手なミサイル1発撃つよりよほど効果的で、国家の機能を止める破壊力を持ちうる。だからこそ、5Gにファーウェイを使うなと各国に圧力をかけている。

宮崎 その流れを受けてにわかに日本の価値が高まり、日本は事実上の「シックス・アイズ」に認められた。「ファイブ・アイズ」というのはいうまでもなく、米国CIA、英国のMI6などをはじめとした西側の情報機関による連携で、米英両国に加え、大英連邦メンバーのカナダ、オーストラリア、ニュージーランドがこれに加わる。国家安全保障に関しての情報、データを交換するシステムを意味しますが、日本、フランス、そして韓国を加える流れがある。

特に米国は日本が中国の軍事動向と北朝鮮の動きに敏感であり、中国機へのスクランブル発進やレーダーによる偵察と警告、ミサイル発射関知情報にもすぐれた能力があると評価し、事実上、日本を6番目としての「シックス・アイズ」は成立しているといえます。

とはいえ、情報の蒐集、分析、評価という貴重な努力の成果であるデータを、英米が軽々と日本やフランスや韓国に提供するはずはないでしょう。おそらく中枢の情報は管理されており、段階的に同盟国へ流されるというプロセスを踏むのでしょう。つまり限られた情報しか提供されないのです。日本は「スパイ天国」だと米国から批判されています。

げんに1月20日の報道によれば、三菱電機から人事情報8100名が流出した事件が起きています（三菱は国防技術は盗まれていないとした）。

また、NECも「2018年までの数年間、中国系とみられる海外組織から大規模サイバー攻撃を受け、海上自衛隊の潜水艦装備情報を含むファイル約2万8000点が外部流出した恐れがある」（1月31日、共同電）。

アメリカが頼る日本の5G技術

渡邉　日本の価値ということでいえば、やはり5Gや6Gに向けての技術力で、その点でアメリカも日本に頼っています。

米国では、通信ネットワークから中国製品を排除する動きが本格化しており、米議会は5年以内に中国製通信機器を排除する法案が出されようとしています。このため、ホワイトハウスは米国と同盟国に中国製通信機器に代わる製品の製造メーカーを求めていました。

軍事において、通信は戦略の要であり、戦術的優位性を担保するカギとなります。したがって、米国では同盟国に対して、中国製通信機器の排除を求めているわけです。しかし、当のアメリカでさえ、ネットワーク設備にファーウェイの製品が入り込んでいて排除は容易ではない。現在の状況はむしろ劣勢です。

宮崎 ヨーロッパでさえそうです。イギリス首相のボリス・ジョンソンがファーウェイを締め出せずトランプを激怒させました。だからジョンソンも感染した？（笑）。しかしファーウェイを締め出そうにも、5Gの基となる、2G、3G、4Gシステムの構築に同社が関わっているため、コスト的には不可能でしょう。

また、ジョージ・ソロスが5Gネットワークにファーウェイを加えることを示したドイツを批判しています。

しかし、面白いのは連邦取引委員会から独占禁止法を指摘されていたクアルコムに対する司法省の異議です。ようするにクアルコムは、5Gをめぐる争いで米国のチャンピオン企業になれ、と独占を認めた。これは異例ですよ。

渡邉　結局なぜファーウェイが優位かといえば、5Gの通信ネットワークを担っているのは、ファーウェイ、ノキア（フィンランド）、エリクソン（スウェーデン）の3陣営なのですが、基地局および端末生産まで一貫生産しているのはファーウェイのみです。したがって、ファーウェイはセットで販売することができ、新興国には融資までつけて売ることができた。それに対して、ノキアは基地局をNECやサムスン、エリクソンは富士通に委ね、端末は各携帯キャリアが生産しています。つまり、一貫した構造になっていないのです。

宮崎　アフリカのケニアとか、いろいろなところにファーウェイが入り込んでいるのですが、そのやり方は基地局と通信ネットワークを先行投資で作り、その代わり、電話機はファーウェイを使いなさいと。

渡邉　通話料で元をとるパターンですね。

宮崎　フィジーだって、昔のイギリス領だから、ボーダーフォンかと思ったら、やっぱりファーウェイが入り込んでいますよ。フィジー経済は5年前まではインド人が握っていましたが、今や主役交替。町を歩いていても中国人ばかり。ただし、通信のシステムは違うから。要するに、電話機の安いのを売り込んでいる。フィジーの中心街のはずれにインド人街がありますが、売られているスマホはファーウェイより安いＯＰＰＯと小米《シャオミ》だった。

渡邉 そういう状況だからこそ、ファーウェイに打ち勝つには戦略が必要になるんですね。それが第一にファーウェイへの規制であり、第二に5Ｇの次世代である6Ｇの早期構築となるわけです。6Ｇに向けてすでに日本企業は動き出しています。ＮＴＴは6Ｇ時代の世界標準として「ＩＯＷＮ（アイオン）」を提唱しています。

「ＮＴＴとソニー、インテルは2030年ごろ実用化が見込まれる次々世代の通信規格で連携すると発表した。光で作動する新しい原理の半導体開発などで協力するほか、1回の充電で1年持つスマートフォンなどの実現を目指す」（日経新聞、19年10月31日）

基本的に6Ｇは5Ｇの上位互換であり、6Ｇから5Ｇへの接続はできますが、5Ｇから6Ｇへの接続はできません。つまり、早い段階で6Ｇの開発を完了し、規格化できれば5Ｇを飛ばして6Ｇまたは6Ｇに対応できる5・5Ｇが整備できる。したがって、中国と違う通信規格の通信網ができる可能性があるのです。

そうなれば、かつてのＣＤＭＡ方式のように、複数の通信規格が生まれ、米国など西側通信機器は中国などの5Ｇに接続できますが、逆は不可という状況を生み出せます。

一部の報道で日本企業は5Ｇで出遅れていると評価されていますが、そんなことはありません。通信分野はＢ to Ｃ（消費者向け）からＢ to Ｂ（事業者向け）にビジネスモデルの転換が行われたため、見えにくいですが、日本がいまだ高い優位性を持つ分野であり、日米の連携がしやすい分野でもあるのです。米国も技術は持つがハードウエア生産やネットワーク構築に関しては、日本に依存しなくてはいけない部分が多く、米国議会が求める５年以内の中国製通信機器排除は日本の協力無しでは不可能です。

これができるかどうかはわかりませんが、すでにドコモなどは６Ｇの開発を進めており、これが採用されればこれが西側世界のスタンダードになる可能性もあるのです。そして実は２０３１年の６Ｇはこの2年が勝負なのです。

なぜかと言うと、今使っているスマホも、４Ｇではなく、厳密にいうと４・５Ｇで、４Ｇとの違いは5Ｇに対し互換性があることです。したがって、システムが切り替えられる。ということは、５・５Ｇが広まるのが２０２５年になります。そして、２０２５年に立ち上げるには、設備更新の問題があるので2年で規格を作り、1年かけて物を作っていくわけだから、ということは6Ｇはここ2年の話なのです。現に5Ｇの話も、５年前から始まっていて、４・５Ｇにいろいろなものが切り替わっていた。ファーウェイが４・５Ｇから入り込んで、次の5Ｇで切り離そうにも簡単にはいかないのはそうした理由です。

宮崎 5・5Gか。なるほど。私の今使っているのは「年寄りスマホ」だけど、声を吹き込むだけでウィキペディアが出てくるし、天気予報から鉄道、飛行機の時刻表も活用できる。でも毎日使っているのは万歩計ですけど（笑）。

渡邉 NTTはさらにトヨタとスマート都市（次世代都市）の共同開発に向けて資本・業務提携すると発表しました（3月24日）。両社は約2000億円を相互に出資し、5Gを活用して自動車の移動データなどを収集、分析することで渋滞解消など都市効率化をはかる。基本的に収集するデータはGAFAのように囲い込まない戦略で対抗し、データを提供することで他の参加企業を募っていく方針です。

NTT社長の澤田純氏は、これまでの自社の独自仕様をメーカーに求めるカスタマイズ化をやめ、極力共通化することで国内の過当競争をやめメーカー側の競争力を高める方針への転換を呼び掛けています（日経新聞、3月26日）。作りやすさ、仲間作りが重要であるとし、GAFAにできないことをやると言っています。NTTが技術開発でリードしている分野があるとの自負があるのですね。

日本企業も動き出しています。

日本人がまったく知らなかった「輸出管理」

渡邉　先に「輸出管理」について触れましたが、19年に、日本で今まで聞いたこともなかったのに最も多く耳にした言葉は「輸出管理」だと思うのですが、もともとは、COCOM（対共産圏輸出規制）がベースになっているものです。

冷戦が終わった結果、東側諸国に技術を渡してよくなった。壁がどんどん低くなっていく中で、北朝鮮のようなテロ国家やテロリストに渡さないよう「ワッセナー・アレンジメント」というゆるやかな規制だけが残ったのです。

ややこしい話なのですが、韓国に輸出規制した3品目ですが、レジストとフッカポリイミド、フッ化水素で規制の前提となる国際枠組みが違います。レジストとフッ化ポリイミドはワッセナー・アレンジメント、フッ化水素は、生物化学兵器等の拡散防止枠組みであるオーストラリアグループが根拠となります。

フッ化水素は、サリンやVXガスなど致死性の高い化学兵器の原材料であり、特に厳しい輸出管理が求められます。このため、輸出に関しては過去3年間の利用実績と最終製品の生産実績、生産に関するプロセスなど具体的な情報が必要になります。これは必要量を把握するためであり、横流しなどを防止するための必要な手段です。

これをアメリカ当局は2015年頃から日米の戦略対話の中で、ふたたびCOCOM体制に近い物を作っていくので、日本側も対応できる体制を作ってくれ、ということを、アメリカ側から要請されていた。日本は、それに合わせるかたちで2017年に外為法を改正した。これ、外為法というのですが、正式には外国為替および輸出管理法で、輸出管理はこの法律の枠組みでやっている。

そのときに、これまで、直接武器転用可能な、ミサイルだとかエンジンだとか、遠心分離機とかだけだったものを、キャッチオール規制というかたちで、旧COCOMに近い状態まで、輸出管理品目を増やしたのです。具体的な業種として、武器、航空機、宇宙、原子力、電力、ガス、通信、上水道、鉄道、石油、軍事転用可能な汎用品、高度なサイバーセキュリティーが指定されることになりました。これは米国FIRRMAと連動するもので、世界的にも厳しい基準に合わせたものです。しかし、問題は許認可審査であり、あくまでもこれは審査の対象でしかなく、審査がザルであれば意味を成しません。この点において、明確かつ厳格な審査基準を設け、明示する必要があるのだと思います。

これで、韓国の輸出管理の仕組みを作ったのは日本で、2003年に韓国側をホワイトリスト国に入れるときに、日本の経産省の職員が飛んで行って、仕組みも、法律も全部作って御膳立てでした。アメリカ側から日本に対してその要請があるので、韓国に対しても、貿易対話をやってほしいと。もう1回作ってあげるよ、と、こちら側は善意で言ったわけですよ。ところが韓国側は、それを3年近く無視した。

宮崎　理解不能だったのではないの？

渡邉　そうなのですよ。日本の輸出管理システムというのは、経産省に約100人の職員、そこに民間団体のシステックというものがあって、さらに各企業の輸出管理の責任者がいる。通関士がいると、いう構造なのですね。韓国は、輸出管理に12人しか職員がいない。12人のうち、役付者ばかりなので、実務ができるのって事実上何人いるのか？

各企業の輸出管理は、完全に天下りになっていて、ガタガタなわけですよ。

宮崎　事実上野放しというか、法律の理解ができないから、しようがないのだろうけれど。だから、そういう国には大事な技術は供与できないですよ。

日本企業の技術なしでは成り立たない韓国

渡邉 その輸出管理の規制の中で、韓国との問題が起きて、これは徴用工問題とはまったく別次元で、関係無い話だと繰り返しているのに、韓国はそれを否定した。ここで大きくクローズアップされたのが、サムスンやハイニックス、などのメモリや半導体、LGの液晶パネルの企業体なのですね。これらの企業体が、日本からの禁止素材に依存していたということが明確になった。今回、輸出管理の対象になった3品目の韓国への輸出額は、2018年で154億円しかない。全部合わせても。しかしそれによって、韓国は20兆円くらい稼いでいます。

宮崎 その、韓国にとってのドル箱がなくなるわけでしょう。経済的にがつんと効く。

渡邉 韓国は自分でできると言い出して、国産のフッ化水素を使ってiPhone11用の液晶パネルを作ったら、100万台の不良品。基本的には韓国でも作れるのですが、日本企業と何が違うかというと、安定した品質を出し続けられない。ところが韓国の場合、国民性なのかなんなのかわかりませんが波が出る。そうするとそのロットが全滅しちゃうんですね。

異物が多数含まれると、場合によっては、パイプが詰まってしまう全面洗浄して、クリーンルームを再構築しないといけない。そうなると、金額的に半端でなくなってしまう。そういう状態に今、なっています。

宮崎　杜撰《ずさん》なんですね。すべての面で韓国にはそういう表現ができます。

渡邉　韓国の半導体と液晶の現状に関して言えば、韓国で作っている液晶パネルは1回の工程で8・5世代で65インチパネルを3枚しかとれない。それが中国の大型工場なら上の世代である10・5世代の65インチパネルが8枚とれる。したがって、韓国はコスト的にまったく敵わない。だからLGディスプレイもサムスンも液晶から撤退を決めました。

半導体に関していうと、サムスンとハイニックスになるのですが、旧LPのマイクロンが広島工場を2倍近く拡張している。マイクロンの最新鋭のDRAMはチップが同じ面積で、2倍量つめるチップを開発し、40％の省電力が可能となりました。コストも一気に下がるので、サムスンやハイニックスよりも1世代進んでいます。

フラッシュメモリもキオクシアとマイクロン・シンガポールが、サムスン、ハイニックスよりも世代の進んだ製品を量産化しています。

さらにいえば、仮想通貨のバブル終焉によって、半導体があまり、値段がピークであった2017年の10分の1になってしまった。そういう状態の中で、サムスンもハイニックスもLGも、韓国の半導体メーカーは、全社かなり厳しい状況に追い込まれている。日本との関係を悪化させている場合ではない。

セットアップメーカーの注文に対し安定した製品を納入ができないメーカーは発注してもらえなくなる。ですから大失敗したLGは賠償金だけでなく、次から納入業者から外されてしまう可能性がある。

宮崎 そうなると、韓国の快進撃は、今や足踏みどころか、崖から落ちそうな感じだね。

渡邉 結局、韓国の半導体にしても、液晶にしても、全部日本からの技術で、日本がどうぞ、と組み立ててあげていた。生産地は韓国だけれども、中を見るとほとんど日本製。マザーマシンを作る機械から、主要な原材料から。

宮崎 エンジニアも相当数が日本から行っている。

渡邉 結局、日本側が半導体生産をほとんどやめてしまって、キーパーツなどに特化したので、日本からもらう技術が無くなっちゃったのです。もらえる技術が。

宮崎 かつて「半導体王国」だった日本はアメリカと韓国によって潰された歴史を持っています。今後の教訓にするためにも、本章の最後にざっと見ていきましょう。

渡邉　半導体の起源はトランジスタで、アメリカから日本にもたらされた。トランジスタは、真空管を使わない増幅装置として開発されたもので、19世紀末から20世紀初頭にかけて、急速に通信産業が発達しました。特にアメリカでは、無線通信市場の拡大から真空管の生産が活発になり１９２０年代になるとカルテルが成立するようになりました。

したがって、日本の真空管生産も、これらアメリカ企業を中心とした外国企業との提携により出発し、大東亜戦争までは、東京電気（東芝）や日本電気などが、真空管の工業的生産に取り組んでいます。戦後はラジオブームなどのラジオ市場の急成長にのり、松下電器や三洋電機など大手メーカーが参入し、１９５３年には１４０万台ものラジオが作られました。このラジオブームを主力的に支えたのが、日本電気の真空管、ＭＴ管です。

宮崎　昭和20年代のラジオ、30年代のＴＶ、みんな真空管の良し悪しで性能が決まっていました。ミグ17で日本に亡命したベレンコ事件がありましたが、あのミグ機、真空管を使っていて日米の関係者がびっくりしたことがありました。

渡邉　トランジスタは初め「真空管の代用品」という位置づけでしたが、小さく、立ち上がりが速く、寿命が半永久的であることなど、優位性が注目されるようになります。日本の電気企業はいちはやくこれに注目し、１９５２年には日立と東芝がアメリカのＲＣＡ社と、53年には東京通信工業（後のソニー）がＷＥ社とトランジスタの技術契約や仮契約を結びました。

こうして、日本におけるトランジスタラジオの工業的生産が始まり、１９５９年には８６５０万個、金額にして１６０億円を生産する世界最大のトランジスタ生産国となったわけです。日本はいわば半導体の前史である「トランジスタ王国」だった。

アメリカと韓国に潰された日本の半導体

宮崎　半導体の歴史は、１９５９年、米国ＴＩ（テキサス・インスツルメンツ）社のジャック・キルビーが固体回路の特許を提出し、フェアチャイルド社のノイスがブレーナー特許を提出、さらに１９６０年代半ばまでにＣＭＯＳ・ＩＣや素粒子分離法が開発されてＩＣを量産する条件が整って大きく展開します。このＩＣの市場形成期、アメリカにおけるＩＣ利用は大半が軍需でした。

この背景には、ソ連との冷戦体制があります。面白いのは、こうした軍事依存と反トラスト法の規制が、大企業であるＧＥ、ＷＨ、ＡＴ＆Ｔ、ＩＢＭなどの半導体市場の参入を防いだことです。これによって、ＡＭＤやインテルといったベンチャー企業が出現することになりました。日本でも１９６０年には電気試験所の垂井グループがＩＣの試作に成功。１９６０年代後半には、工業化が始まります。

アメリカの新興半導体ベンチャーと、日本の電気企業が相競う構造は、このあたりにすでに萌芽しているのです。

日本におけるＩＣ産業の発展を後押ししたものとして、電卓が挙げられます。「電子式卓上計算機」を「電卓」と言ったのは日本経済新聞の島矢志郎さんでした。１９６４年、シャープは、世界初のオールトランジスタ電卓を発表。その後、日本国内では、電子機器メーカーが相次いで電卓を作り、70年代には「電卓戦争」と呼ばれるような状況となるわけです。

この頃から日本では、アメリカ産のＩＣに対抗して、ＩＣの国産化が進められました。その結果、ＩＣの輸入が減り、輸出が増えていきます。また、ラジオやテレビ、電卓、オーディオなどの分野において、真空管やトランジスタなどの個別半導体からＩＣへの転換が進みました。ＩＣの生産額が、個別半導体の生産額を上回るのは、１９７８年のことです。

1970〜80年代にかけての半導体生産は、アメリカのTI、モトローラなど、ヨーロッパのフィリップス、シーメンスなど、日本の日本電気、日立製作所、東芝などが市場を分けていました。量的にはアメリカが優勢でしたが、1985年に日本電気が首位となり、以降1991年にかけて、日本の企業3社が上位を独占するという状況になります。また日本は、半導体の市場規模においてもアメリカを上回り、まさに「半導体王国」として絶頂期を迎えるわけです。

しかしこの状況が、アメリカの反感を買うことになります。

アメリカ政府はこれを政治問題化し、ジャパンバッシングが広まり、日米の半導体摩擦は、両国にとって重要な外交課題となります。

1985年には、SIAが日本政府をアメリカ通商代表部に提訴。翌86年には政府間協議が始まり、日米半導体協定が成立します。

日米半導体協定の内容は非公開ですが、その概略は、

(1)日本政府は国内ユーザーに対して外国製半導体の活用を奨励すること。

(2)日本政府はアメリカへ輸出される6品目の半導体のコストと価格を監視すること。

(3)アメリカ商務省はダンピング調査を中断すること。

半導体売上シェアランキングで地位を失った日本企業

	1985	1995	2005	2016
1位	NEC	インテル(米)	インテル(米)	インテル(米)
2位	モトローラ(米)	NEC	サムスン(韓)	サムスン(韓)
3位	テキサス・インスツルメンツ(米)	東芝	テキサス・インスツルメンツ(米)	クアルコム(米)
4位	日立製作所	日立製作所	東芝	SKハイニクス(韓)
5位	東芝	モトローラ(米)	STマイクロエレクトロニクス(瑞)	ブロードコム(米)
6位	フィリップス(蘭)	サムスン(韓)	ルネサンステクノロジ	マイクロン・テクノロジー(米)
7位	富士通	テキサス・インスツルメンツ(米)	インフィニオンテクノロジーズ(独)	テキサス・インスツルメンツ(米)
8位	インテル(米)	富士通	フィリップス(蘭)	東芝
9位	ナショナルセミコンダクター(米)	三菱電機	ハイニクス(韓)	NXPセミコンダクターズ(蘭)
10位	松下電子工業	ヒュンダイ(韓)	NECエレクトロニクス	メディアテック(台)

※■は日本企業　　出典:ガートナー(2017年4月)

(4)日本政府は第三国市場に輸出される3品目のコストと価格を監視すること。

(5)協定期間は5年。

と、されています。

この結果、日本においては、外国の半導体が徐々にシェアを拡大。1992年にはインテルが日本電気から首位を奪い、93年には半導体の市場規模も、ふたたびアメリカが首位となります。そして、大きな転換が訪れたのが1997年のこと。アメリカのマイクロン社がDRAMの低コスト化に成功し、日本企業大手は数百億円規模の赤字を出し、大幅な設備投資の削減や工場閉鎖という事態に追い込まれたのです。

翌98年からは、三菱電機、沖電気などの

メーカーがＤＲＡＭ生産から撤退。また、バブル崩壊による日本経済の後退とともなって、日本の半導体生産は著しく後退し、現在にいたります。

日米半導体協定によって日本の半導体生産が凋落《ちょうらく》していく中で、シェアを伸ばした国のひとつが韓国です。わけてもサムスンはＤＲＡＭ生産に特化して世界首位に。また、半導体の出荷額においても、インテルに次ぐ世界2位となりました。

前に渡邉さんがファブレス企業とファウンドリについて解説されましたが、半導体の企業形態がそのように変化したのもこの頃です。台湾ＴＳＭＣ社ができたのは１９８７年です。今や台湾ＴＳＭＣは世界の巨大企業になった。

渡邉　日本の半導体を潰した韓国の半導体産業が落ちぶれ、敵だったアメリカと日本が組んで今度は中国を潰す、というのが今の状況なんですね。

第4章

中国経済に依存した世界の悲劇

グローバリズムの正体は世界経済の中国依存

宮崎　本章では中国経済の失墜が世界経済に与える影響を眺めていきましょう。まるでイカロスの墜落のようだ（笑）。

武漢コロナの感染爆発により明瞭《めいりょう》となったのは、グローバリズムというのは突き詰めて言えば世界経済の中国依存にすぎなかった、ということではないでしょうか。少なくともユーラシア大陸の東半分と太平洋においては。03年には世界のGDPの4%にすぎなかった中国経済が今や2割を占めます。アメリカにしろ欧州にしろGAFAにしろ、「工場としての中国」の活用と「市場としての中国」から利益をあげようとした。一方の中国も欧米やグローバル企業を利用して世界の「中国化」をもくろんだ。両方向から世界経済の中国依存が高まり、それとともに西側社会は政治の中国化を黙認した。中国搾取vs.中国化の構造がいよいよ表面化し先鋭化したのが米中貿易戦争に始まる「覇権戦争」で、アメリカ政府は中国排除に舵を切り、世界にもそれを要求していますが、すでに中国にビルトインされていた世界各国はヒト・モノ・カネというすべての面で脱中国が容易ではないことを再認識する。アメリカの圧力によって国内の親中派の害悪があぶりだされても技術的な依存からファーウェイ排除に踏み切れない。英国でさえそうなのだからEU諸国、アジア・アフリカなどはいうに及ばず。米中激突のはざまで逡巡《しゅんじゅん》していたところに武漢コロナが急襲し、否応なくヒトの排除に踏み切った。ヒトが来なければ自ずとモノとカネも止まる。世界は沈没を余儀なくされた。しかし、それは中国依存を深めたグローバル化の代償ですね。これからパラダイム・シフトが起こります。

渡邉 同感です。生活物資からインフラまで他国へ委ねすぎていた。この問題は日本だけでなく、米国でも発生しており、特に医療分野（マスク等）が大きな問題になっています。

また、欧州では生活物資の生産や流通の共有が進んでいた中で各国が自国優先主義を取り始めたため、この分断も起き始めているわけです。ドイツやフランスなどは医療関連の物資の輸出を禁じ、結果的に他国にいきわたらなくなりつつある。短期的な株価など指標によるパニックよりも、実は、こちらのほうが大きな問題であり、世界の社会構造に大きな変革をもたらす可能性が高いといえます。

それから世界経済についていえば、問題が構造上のものである限り、武漢コロナにより危機が早まっただけのことで調整局面を迎えていることに変わりはありません。

これまでの世界経済はグローバリズムのもと、中国に代表される新興国の「工業化」をグローバル企業が投資することによって経済成長を達成してきた。「世界の工場」となった中国の安価な製品を大量に買ってくれたのがアメリカだった。いわば中国とアメリカ、というよりも、中国共産党とグローバル企業が最も恩恵を受ける構造になっていて、その需要を支えていたのがアメリカ国民だった。しかし、中国の工業化は先進諸国の製造業の空洞化を招き、雇用を奪い、その反動としてアメリカファーストを唱えるトランプ大統領が登場し、米中蜜月から米中対立に突き進んだのは周知の事実です。

以後、世界は国境の壁を高くする反グローバリズム――ヒト・モノ・カネの移動を制限する経済構造に逆回転していた。要するに世界はアメリカの消費に頼れなくなり、自国の消費を高める内需主導の経済構造に転換しなければならないわけですが、武漢コロナによりその回転速度が早まった。ために直面しているのが内需拡大どころか「需要ショック」です。金融危機だったリーマンショックとの違いはここにあります。

宮崎　世界経済を支えていたアメリカの消費はクレジットカードやサブプライムローンのような借金と株や債券といった資産価格により生み出されていました。米国民の80%の実質賃金は1970年代から上がっていないという報告もあります。したがって、家計の債

アメリカの個人消費は大きい

主要四カ国による個人消費額

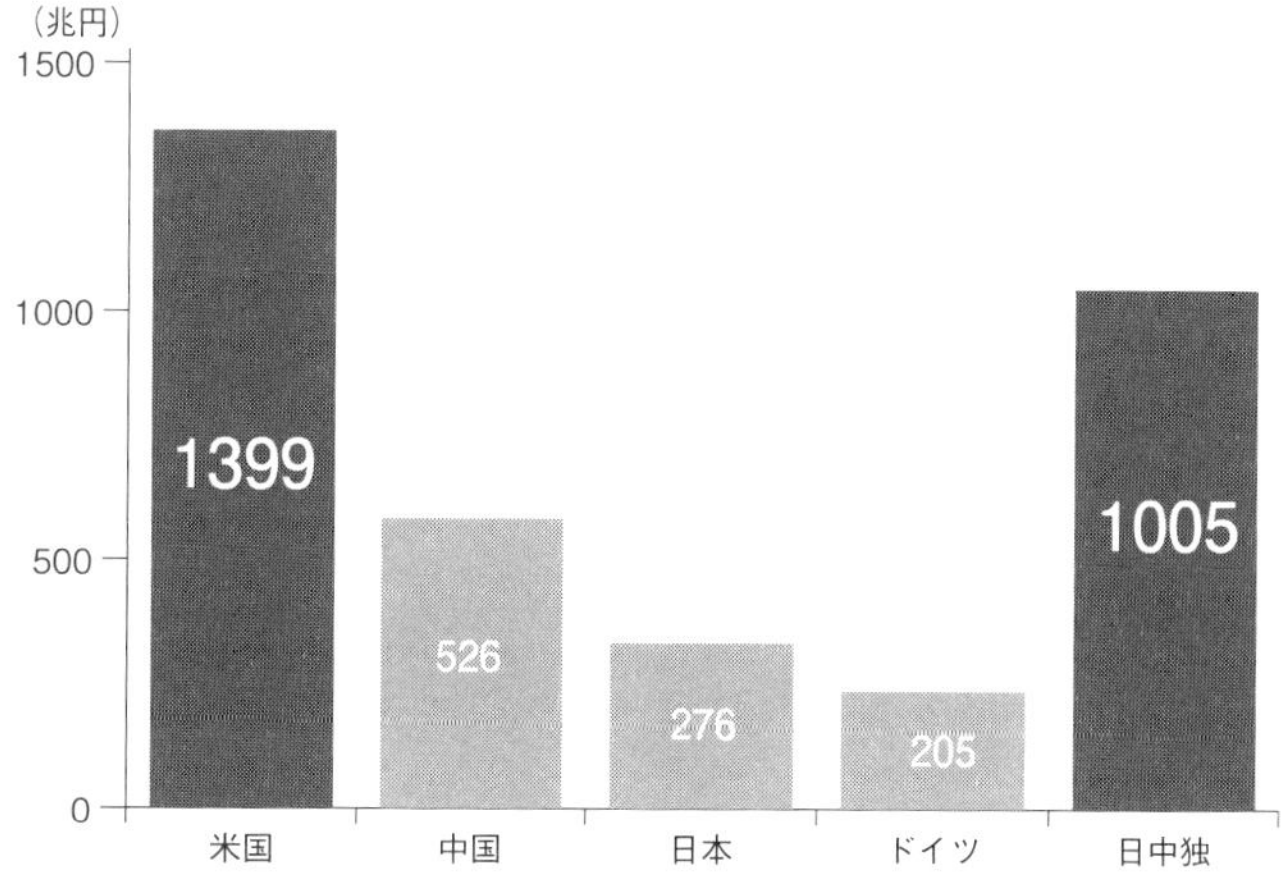

※2018年度　グローバルノートより作成

務が膨張し、学生ローンの残高は天文学です。株価が下落すると消費は減退することになる。良くも悪くもトランプが株価にこだわるのは当然なのです。

渡邉　そう考えると今回のことはリーマンショックよりも深刻です。「恐怖指数」と呼ばれる「ＶＩＸ指数」は一般に指数が高いほど先行き不安を示すものですが、3月13日にこれがリーマンショック時の80超に近づく75・5となり、今後これを超える可能性もある。

宮崎　4月に入って状況はさらに悪くなっています。日本は心理恐慌に襲われている。とくに『志村けん・ショック』以後は。

「大倒産」が世界を襲う

渡邉　リーマンショックは、金融主導型社会の闇が表面化したものであり、米国が発行した信用度の低いサブプライム債権に対する信用不安が債券市場全体に広がり、銀行を中心とした信用危機でした。しかし、今回は世界的な実体経済の悪化と感染拡大の恐怖が根底にある。各国の渡航制限によりヒトの移動が止まれば自ずとモノの流れも止まる。先の見えない自粛で消費が激減し、閉店や倒産が相次ぎ失業者が増えれば需要不足がさらに加速する、という悪循環にはまります。

実は金融システムだけを見れば、リーマンショックにより、米国の金融システムは強化され、監督システムも大きく改善されています。自己資金で取引を行うことで自由な取引が許されていた投資銀行は、ＦＲＢから融資を受けられる対象になるとともにＦＲＢの監督下に入っています。また、金融危機を契機に成立した金融規制改革法（ドッド・フランク法）により、「ボルカールール」が採用され、銀行の自己勘定取引に規制が設けられました。２０２０年１月にこれは緩和されたものの規制がなくなったわけではなく、ＦＲＢによるコントロールは可能だとみられています。

また、国際金融においても大きな変化があります。一番の違いはFRBと世界の5大中央銀行との間の無制限スワップであり、FRBと日本（日本銀行）、英国（BOE）、EU（ECB）、スイス（スイス銀行）との間で、お互いの通貨を必要なだけ融通できるというものです。これは地域代理店のような構造となっており、日本は日本とASEAN諸国との間で円スワップを結び2次的保証を行っています。英国は大英連邦の国と英国のオフショア、EUはユーロ圏、スイスは非ユーロ圏欧州諸国というように、通貨危機が起きにくい仕組みを構築しているのです。

宮崎 ただ盲点なのは、金融システム、つまり銀行に問題はなくても、需要不足による収入減で疲弊する各企業は、従業員の給料を支払うために銀行の預金だけでなく与信枠を利用せざるをえなくなり、各社が殺到すれば銀行は「内部流出」に陥る可能性がある。いわば企業発の金融危機が起こるかもしれない。そうなれば世界に「大倒産」が襲うことになる。

渡邉 企業の資金繰りが厳しくなってゆく中で、各国政府は対応を急いでいますが、当然、国によりできることは異なり、輸出依存度が高く外貨建て債務の大きな企業などは破綻を選択せざるをえなくなるのだと思います。基本的に国内産業を救済するのはそれぞれの国ですが、海外事業までを救う必要があるのかという議論も出てくるでしょう。

金融政策の限界

宮崎　世界の中央銀行が矢継ぎ早に金利を下げる金融政策に出るのはある意味、当然の処置だとしても、市場の反応は弱い。株価は乱高下を続け先行きの見通しがつかない有様でしょ。金融政策の限界が取り沙汰されています。

渡邉　短期的な金融面での問題ではないからです。実体経済が主導する景気悪化予測があるためであり、実体経済の問題だからです。

宮崎　ですから金融政策よりも投資により需要を創出する財政政策のほうが有効でしょう。ところで、日米欧株価大波乱の時期に、中国の株は上昇していたというから摩訶不思議。さすが情報操作大国です。

2月4日の時点、旧正月明けに株価指数は2685・27だった。それが2月21日、世界が大騒ぎで株価下落に陥落する直前に3058・30に上昇していたのですよ。3日は大暴落の日でも、日米欧の株価が9～14％下落したのに中国上海指数はマイナス1％台でしたね。これは中国当局が投資家に「売るな」と厳命し、金融機関が無理矢理、株を買っていたからです。それで上海株が「下落しなかった」と宣伝するのですから。

青色吐息の中国経済

宮崎　世界経済が依存する中国経済をみてみると、3月16日、中国国家統計局の発表によると2020年1～2月期はさんざんの数字です。前年同月比で工業生産（13・5％減）、小売売上高（20・5％減）、固定資産投資（24・5％減）。

問題の消費ですが、レストランの売上高は43％減、車37％減、家具34％減、家電30％減と中国市場の失速は著しい。中国に進出する日本企業も悲惨で、トヨタ70％、日産85％、ホンダ80％もの新車販売減。それなのにトヨタは工場を増設しようというのだから。

それからスタバです。スタバは江蘇省昆山に宏大な土地を購入し、「スタバ・チャイナ・珈琲イノベーション・パーク」を建設します。香港で大半のスタバ店舗が「紅系商店」として襲撃され破壊されたけれど、あの悪魔の日々は忘却の彼方にあるようです。もっとも香港のスタバは大陸商人の経営ですが。

テスラもまた上海浦東に宏大な土地を確保してEV工場を造成し、リチウム電池開発などで投資を拡げる方向にあります。一方、経営が傾いていた電気自動車大手のBYD（比亜迪汽車）は、中国政府から補助金200億円を給付され息をつないでいます。

しかしこれは一時の問題ではすまないでしょう。すとんと落ちて、そのまま低迷が続くのが中国経済の展望。だから「L」字型。もしくは底なし沼に落ちてゆくなら「I」字型ですかね。

渡邉　「14億人の市場」など幻想にすぎない。これは繰り返し書いてきているのですが、なかなか通じない。

中国は国内投資も激減しています。前年同月比で製造業が32％、インフラ30％、不動産16％減。ただこれは中国当局の発表ですから実際はもっとひどい可能性がある。

宮崎　サウスチャイナ・モーニング・ポスト（2020年3月14日）によると、中国への外国企業の直接投資は前年同期比で25・6％の急減ぶりを示しています。外国企業の直接投資は、ドル不足に陥っている中国にとっては命綱です。

内実は空っぽの外貨準備（表向き3兆1000億ドル保有と豪語しているが、外銀から年間7000

８０００億ドルを借り入れ、借り換え、さらに中国企業はドル建て社債を発行している）を補う両輪は、この直接投資と、対米貿易黒字ですから。

米企業に中国撤退を要求

宮崎　２０１９年に中国からの対米輸出は20・８％の激減を示しました。これはいうまでもなく米中貿易戦争の勃発《ぼっぱつ》、高関税の影響ですが、基本要素としては、過去30年間の賃金上昇があります。中国の賃金が日本並みになった産業はＩＴと通信関連。必然的に競争力は失われます。

中国における生産は、高関税のために赤字に転落した。繊維、雑貨、スポーツシューズ、玩具などの企業が中国から脱出し、アジアに工場を建設した。さらに中国に進出した外国企業が、この波に乗ったのです。外国企業が逃げ遅れたのは、撤退条件が厳しく、手続きに時間がかかるから。工場設備の移転は困難を伴います。日本企業の中小零細は、撤退するに際しておよそ１０００万円の支出を余儀なくされたと言いますよ。

渡邉　トランプは米企業に対し中国撤退要求を出しています。これは中国にとっては痛い。

宮崎　半面、同じ時期に、対米輸出を激増させたのが、ベトナム（51・6％増）、台湾（30・0％増）、タイ（19・7％増）、インドネシア（14・6％増）、メキシコ（12・7％増）、マレーシア（11・3％増）（数字はサウスチャイナ・モーニング・ポスト、2020年1月8日）などの国ぐに。さらにこの列に、カンボジア、ラオス、フィリピンなどが続きます。

この傾向はおそらくとどまらないし、コロナ騒ぎによって多くの企業が中国から脱出することになる。

第一に、たとえ米国が関税を引き下げて米中貿易戦争が解決しても、いったん出て行った企業は中国には戻らない。第二に製造業にとって、部品、部材企業がすでに脱出しているため、中国国内のサプライチェーンが崩壊している。そもそもが、物理的な強制力をもなって、撤退せざるをえないのだから。そして第三に、賃金を低めにしても、現在の中国人はいちど贅沢《ぜいたく》を知ってしまったわけだから、もう労働力も安くはならない。

みてください、かつて、「中国の繁栄は続く、経済成長は安定的に持続する」と唱えていたエコノミストたちが静かなこと。中国「賛歌」は「惨禍」となったようです。

中国発金融危機

渡邉 金融不安から、中国の銀行はどんどん国有化されています。中国銀行保険監督管理委員会（銀保監会）がリスクの高い農村商業銀行の不良債権をいくらか整理しだした。

宮崎 東北3省である遼寧省、吉林省、黒竜江省の「包商銀行」「錦州銀行」などの地場銀行は地方政府が管理し、倒産を免れましたが、「事実上の倒産」です。「包商銀行」というのは江沢民《こうたくみん》派の蕭建華《しゅくけんか》が主導した投機集団「明天証券」グループの隠れ蓑で、インサイダー取引の前衛部隊の役を担った銀行です。217億元を投下して、シャドーバンキング機能をやらせていたうえ蕭建華集団のATMとして駆使され、投機資金に廻されていた。

東北3省は、習近平の敵が多い地区だから中央政府は救済したくない。

渡邉 今までは、中国の企業や銀行が潰れそうになったときには「国が救ってくれる」という暗黙の保証が地方政府にもあった。これが今崩れかけているんですね。その始まりは、リーマンショックのときでしたが、国が面倒をみないことが今後続発するのではないか。

中国の金融システムは、基本的に20年前後前の米国システムを採用しており、これはリーマン前の米国のシステムとほぼ同じです。リーマンで話題になった投資ビークルＳＩＶは、中国では地方政府や国有銀行などの資金調達手段である「融資平台」であり、地方政府の債務と切り離された形で運用されています。

ある意味、これは簿外債務といえるものですが、この債権に対し中央政府は地方政府による債務保証を許していない。しかし、いざとなれば国はきっと救ってくれるだろうという「暗黙の保証」があるという楽観視がこのような債券発行を支えてきたわけです。

この点もリーマンで問題になったフレディマックやファニーメイの債券と同様です。そして実際に保証されないことがわかると他の債券の価格も暴落しました。

中国も同様で、ドル建て債券のデフォルトをきっかけに他の債券の評価が落ち、金利が上がり始めています。また、デフォルトすれば当然企業の信用格付けも下がり新規の資金調達が困難になる。この連鎖的な動きが、バブル崩壊を拡大させていく大きな要因になるのではないかな、と見ています。

「債務コロナ」が蔓延

宮崎　地方政府債は事実上パンクしているでしょう。パンクしているのだけれども、いろいろな条件をつけて融資を新たな融資で借り換えるジャンプを認めている。つまり、手形を新しく切りなおして、切りなおすときの条件として金利が毎回上がっていくわけです。しかし早晩これは返済不能になる。

それから、中国優良企業の社債のパンクが始まっていますね。共産党とのつながりが深いところは救済されるけれども、他はほったらかしじゃない。2020年中に、社債のパンクがさらに増えるし、地方政府のどこかは破産するでしょう。

地方政府の債務危機や相次ぐ中国企業のデフォルトについては拙著『武漢肺炎・経済崩壊・軍事クーデターで　さよなら習近平』（ビジネス社）で詳しく述べましたが、牽引《けんいん》する主力産業がなくなった山東省は危ない。それから省都フフホトの包商銀行が破産した内蒙古省。

また、民間企業のデフォルトでいえば、ＣＩＴＩＣ（中信資本）傘下の中信国安集団の67

中国企業の外貨建て社債の発行額が急減

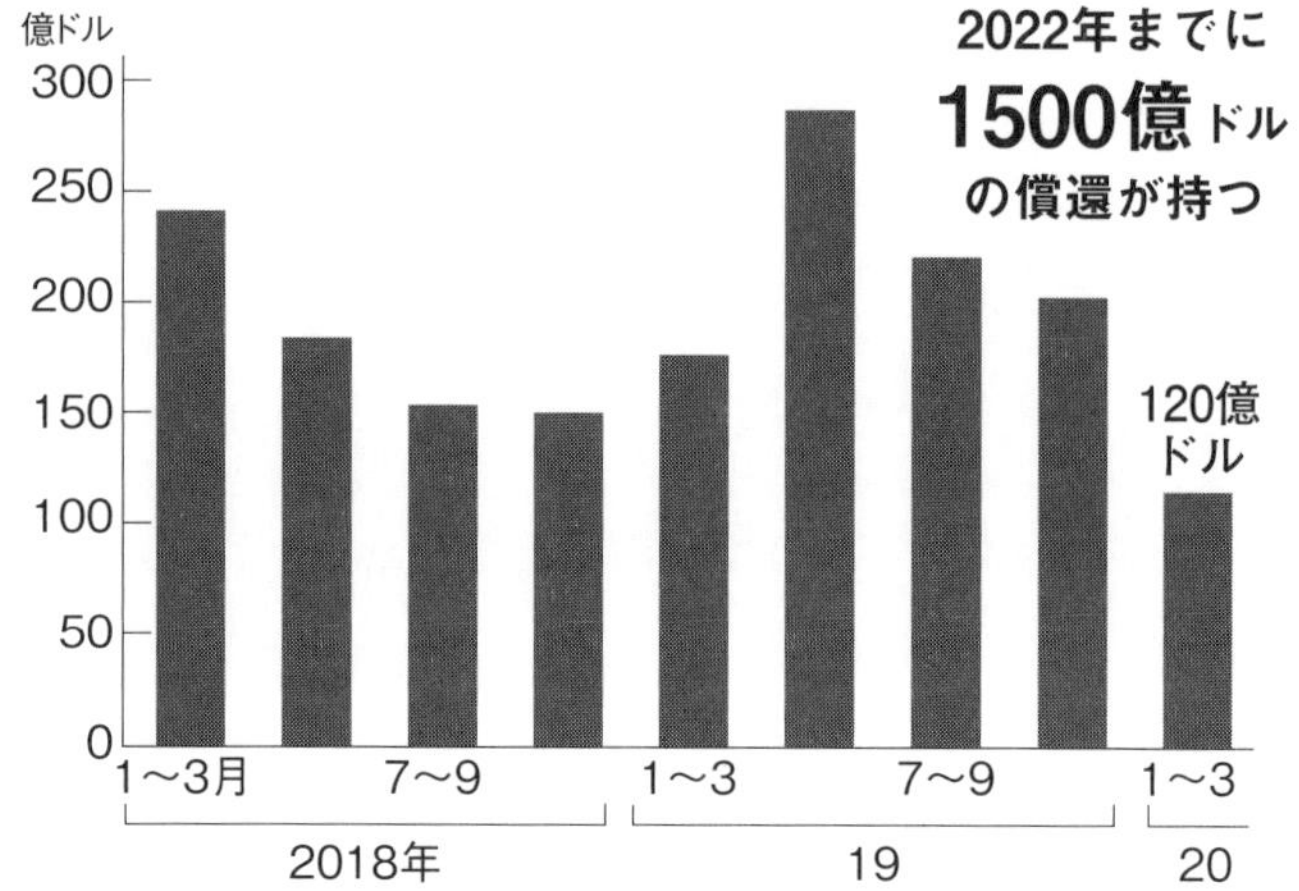

（注）金融除く。CPは含む
（出所）リフィニティブ

億円の預金凍結、天津物産集団がデフォルト（330億ドルのドル建て債券）し、カリウム肥料大手の青海塩湖工業、ゼネコンの南京建工産業集団、海航集団関連の大新華航空、東旭光電科技、永泰能源などの債務不履行が連続しました。

中国の大手企業はドル建て社債を発行し、外銀は少なくとも利率2%上乗せのチャイナプレミアムをつけていますが、不動産関連は金利14%です。こうなるとジャンクですね。

これはドルの償還をするためのつなぎですが、社債とは、要するに借金です。償還時期がくれば金利を上乗せして借り換えるか、開き直りの倒産か。つまり手元の現金不如意を片っ端から社債起債で補い、自転車操業を継続していることになります。

中国の債権市場の規模はおよそ500兆円で、2020年1月からは「ジャンク債市場」を整備するという。それでなくとも中国民間企業の社債デフォルトは4・9%に達し、異様な状況に陥っています。これではまるで武漢の肺炎のように、またたくまに債務不履行の蔓延ですよ。「債務コロナ」ですか（笑）。

渡邉 先にも述べたように中国の金融システムはアメリカの金融システムですが、これはサブプライムが起きた全盛期の一番危険なものです。

ちなみに地方融資平台とは中国の地方政府傘下にある、資金調達とデベロッパーの機能を兼ね備えた投資会社です。

バブルを抑制するために、銀行からの地方融資平台を含めた不動産融資は規制されているが、その規制を抜けて理財商品や信託による投資が行われており、不動産バブルを煽っている。これが地方債のプラットホームになっている。中国語で平台はプラットホームなのですね。暗黙の保証がなくなると、本来であればアメリカのサブプライムと同様の瓦解をしていくはず。ただ、中国政府なので、どうするかはわからない。

宮崎 中国人民銀行（中央銀行）はさかんに利下げしてとにかく通貨をバラまいていて延命

措置をこうじてます。そろそろタイムリミットだと思うのだけれど、なかなかしぶとい。

渡邉　アメリカからのお金が来なくても、基本的に国内の融資は人民元立てなので、人民元を刷りまくって通貨価値が下がるインフレ起こしちゃえば借金は消える。ただ、インフレに国民が耐えられるかというのは別問題。加えて、インフレは対外的には自国通貨の暴落を招くので、通貨危機が起こる可能性もある。

宮崎　だからビットコインに中国人は群がる。一時期はビットコインの85％を中国人が、買っていました。

通貨安と外貨不足

宮崎　アメリカが中国を「為替操作認定国」から外したのには何か密約でもあるのでしょうか。

渡邉　中国政府の介入が通貨高を維持しているからでしょう。通貨安にして輸出を有利にし国際競争力を高めることがアメリカのいう「為替操作」ですから。

宮崎　今、人民元は元安圧力にさらされているんだから、元高を維持することのほうが本来為替操作なんだけどね。アメリカの勝手な論理だ。

おそらく1ドル10元くらいが適正レートですよ。今、7・0〜7・2あたり。だから相当無理してます。

渡邉 だから中国の外貨準備高がどんどん消えていく。したがって、ドルを手に入れるために、中国人や中国の国有企業が海外で買った資産をどんどん売っています。

宮崎 日本で買った不動産もサッサと、どんどん売ればいい。買い叩いてあげるから（笑）。

アメリカの銀行システムが入る前は中国には銀行はあっても銀行のシステムはなかった。だから中国人は預金せず、お札がみんな汚なかった。システムが変革され、お札は綺麗になると同時に偽札が出回るようになった。偽札対策が一番頭の痛い問題で、なにせ、通貨流通の20％が偽札なのです。

それが今では電子決済です。庶民に至るまで99％が電子決済で、現金を持っていない。これって中国を旅行する外国人は困ります。しかし疑問なのは、金融危機が起こり預金がなくなったらどうするのか？　その点を中国人たちがどう考えているのか疑問です。

それはともかく、以上のような理由から、習近平の望む「V」字型回復は可能性はほとんどないでしょう。

パニックに陥った欧米

渡邉　欧米ですが、急速な感染拡大により完全なパニックに陥っています。街からトイレットペーパーだけでなく、パスタやパンなどの食品までが消えている。生活習慣の違いと備蓄買いがこれを促進しています。日本の場合、自宅で炊けるコメがあり、カップ麺などインスタント食品も充実していますが、それに対して、欧米の食生活は異なり、パンは基本的にパン屋で毎日買うものであり、自宅で焼くものではありません。また、コンビニなども少なく、アメリカなどの地方ではコストコなどで1週間分の食材を買うのが一般的な生活です。日本の場合、度重なる震災による生活物資のサプライチェーンの停止を経験しており、その対応に慣れている側面がありますが、米国や欧州にはこの経験値も少ないわけです。

宮崎　3月14日、トランプ大統領が「欧州からの入国を30日間禁止する」としたため、急いで米国に帰る人々でごった返し、航空券の価格も跳ね上がっています。当初除かれていた英国、アイルランド、イスラエルも加えられました。

それればかりか、トランプ政権は「米国内の移動も制限する」という未曽有の方向を示唆している。米国に続いてスペインが非常事態宣言、ポーランド、ウクライナなど被害の少ない北欧東欧の国々も国境を締めました。

悲鳴を挙げる産業は「スポーツ、小売り、航空会社、そして自動車」とウォールストリートジャーナル（3月14日。電子版）は書きましたが、なにしろ100人以上の集会が事実上開催不能となれば、イベント各社、音楽関連、ホテル、観光業の被害も甚大な規模となるでしょう。

3月初旬時点でもJAL、ANAの株価は20％前後下落した。アメリカン航空、ユナイテッド航空、フランス航空など欧米系の株価下落は30－40％台だった。最悪は昨年の香港大乱で過半の減便に陥っていたキャセイ航空。中国の躍進企業と一時いわれた海南航空は身売りです。

反対に、自宅勤務、自宅待機となれば、DVD、CD、書籍、ゲームなどは逆に売り上げが伸びる。日本ではマンガが売れてます。

渡邉　われわれの本が売れてくれるといいですが（笑）。

欧州の中でも経済の中国依存度が高いドイツは中国経済の低迷で景気の悪化が懸念され

るとともに中国への依存度を引き下げようと必死です。

金融的に中国と欧州をつないできたドイツ銀行、サブプライム問題で英米系銀行は中国資産を大量に売却しました。それを積極的に購入し、英米系が投資銀行業務を縮小する中で拡大を続けました。

また、中国側もドル一存の外貨準備体制から、ユーロへの投資を拡大、ドイツと中国の蜜月関係が生まれたわけです。そして、2015年のドイツ銀行のCOCO債危機を救ったのも中国資金であり、結果的に海航集団が筆頭株主になり、ドイツ銀行は中国企業の海外上場や海外での債券発行を引き受けたわけです。

しかし、この積極的な事業展開が裏目に出て、海航集団もドイツ銀行も危機的状況に陥ったわけです。海航集団はドイツ銀行の株式を全売却し、ドイツ銀行は投資銀行業務と債券発行業務からの撤退に近い縮小をし、資産の売却による債務の縮小を行っています。これにより、少なくとも中国とドイツの金融面での蜜月は終了しました。

宮崎　ドイツ車も影響が大きいでしょう。フォルクスワーゲンは成都の完成車工場が生産ラインを止めています。また、ベルリンの新空港が今年（2020年）の10月に9年遅れで完成の見通しが立ちました。

渡邉 フランスでいうと、ゴーン問題を受けて日産との関係も不透明化する中でルノー本体がついにジャンク化した。これにより、資金調達が困難になり、何らかの抜本的解決がなされない限り、破綻方向に向かってしまうことになります。日産株の売却や大株主であるフランス政府系ファンドによる資金提供が必要となるでしょう。

宮崎 ルノーは3月17日に工場閉鎖。1万2000名がレイオフの危険にさらされました。

サウジvs.ロシア「原油戦争」

宮崎 航空などヒトの移動が止まり、工場の生産が止まるということは、原油需要が減る。

渡邉 ゴールドマン・サックスは世界の石油の消費料が25％減少し、日量260万バレル落ち込むと指摘しています。世界の石油消費量はだいたい1億バレルはあったわけですから。

宮崎 中国は現実2割減っているらしい。みんな外に出ちゃいけないのだから当然といえば当然です。

渡邉 サウジアラビアなど石油輸出国機構（OPEC）とロシアの減産交渉が決裂（3月6日）

し、サウジとロシアがむしろ増産を決めて、原油価格が大幅に下がっています。世界で日量2000万バレルも過剰になっている。

米原油先物は一時1バレル27ドル台まで下げ、ついに、16年2月につけた03年5月以来の最安値の1バレル26・05ドルを一時更新しました。リーマンショック後の最安値である32ドル台をも下回りました。原油相場は実体経済を反映するので原油安だと先行きが暗い。

宮崎　原油安は日本にとってはいいのですが。サウジとロシアの増産はアメリカのシェールオイル潰しでしょう。コストの高いシェールオイルは1バレル40ドル以上ないと採算割れします。

しかし、サウジとロシアは完全に互いを潰しあう価格戦争に入りました。サウジは欧州向けに8ドル値引きするという異例の事態になっています。他の産油国も追随せざるをえない。

渡邉　ロシアも1バレル42ドルないと困る。

宮崎　ロシアも、ベネズエラも、スーダンも、イランも困る。

渡邉　特にイランは売り先がない。主な購入先が中国ですから。

宮崎　石油収入に対する依存度はロシアよりもサウジのほうが高いから、価格競争はサウジにとってももろ刃の剣なのですがね。そのイランも武漢コロナの感染拡大、死者は中国、イタリアに次いで多い。聖地巡礼をやめなかったからです。

3度目の通貨危機を迎える韓国

渡邉 中国への依存度が高い韓国は、現代自動車が韓国国内の全工場がストップするなど影響が高いです。半導体も同様の事態です。武漢コロナと原油価格急落が重なり、家計と零細自営業者から航空、石油・化学など主要基幹産業に至るまで実体経済全体が低迷する。韓国LCC6社は政府に緊急資金支援を要請しています。アシアナ航空は全社員の3月の給料カット。

加えて韓国からの入国制限をする国・地域は143も突破（3月17日現在）、輸出依存度が約4割（輸入依存度は31％）と高い韓国にとっては大打撃です。日本の入国制限にだけ対抗措置をとり日本人向け入国ビザ（査証）免除を停止しましたが、日本とのサプライチェーンを自ら切ったことになり自分で自分のクビを絞めています。3月に入ると1日平均輸出額が2・5％も減少しています。

また、企業、家計ともに債務が増大し、金融不安が高まっています。しかも輸出減、外貨流出にともなう通貨安が進んでいます。3月に入り、頻繁に節目である1ドル＝1200ウォンを割り込んでいる。3月19日には1270ウォンを突破し、1300ウォン台も見えてきました。1997年、2008年の通貨危機の際につけた1400ウォン台に迫っています。

先ほども述べたように、FRBはリーマンショック後に、世界の4大銀行とスワップを結び、地域代理店構造を構築しました。これにより世界の金融は安定していますが、ここから漏れている国が韓国ということになるのです。日本とスワップ協定がなく、スワップ金利が急上昇してしまった。また、中国も同様で、スワップはあるもののその額は3兆円程度であり、大規模な資金調達は難しい。

韓国は3月13日には窮余の一策として、株式市場で6カ月間の「空売り禁止」が発表された。

宮崎 だんだん中国に似てきた。

渡邉 韓国は3度目の通貨危機に陥るでしょう。過去の通貨危機だって支えたのは日本ですよ。韓国は日本を足蹴《あしげ》にして15年に打ち切った日韓通貨スワップの再締結を画策中ですが日本は無視すべきです。徴用工、天皇謝罪発言、東京五輪放射能ポスターなど日本に対する侮辱を重ねている国に手を差し伸べる必要はありません。

共産党は絶対に民主化しない

渡邉　脱中国を考えるうえで、共産党独裁政権は民主化を絶対にしないという鉄則を大前提にすべきです。

一般の人たちは中国の政治体制をよくご存じないと思うので、日本とはまったく違うということを論じたいと思います。

中国の制度というのは、どちらかというと企業の形態に近い。取締役会に該当するものが政治局常務委員で、現在習近平の独裁体制になるまでは、7人なり9人の常務委員の話し合いで決めていた。これは多数決であるため7人とか9人という奇数にしてあるのです。

実際、中国共産党というのは、毛沢東の独裁に懲りて以来、一党独裁であって、個人による独裁体制ではもともとないのです。企業の取締役会に該当するものがあって、役員たちが習近平の辞任を求めるような役員クーデターが起きうる可能性もあった。

宮崎　企業においては株主総会における多数派工作が重要なわけですが、しかし忘れてならないのがオーナー一族。オーナーがだいたい株を持っている。朝日新聞しかり、ニューヨークタイムズしかり。

中国の場合、オーナー一族にあたるのが党の長老ＯＢたちで、つまり北戴河《ほくたいが》会議ですよ。ここにトップセブンの取締役会がある。決まったことを布告するのが全人代で、要するに株主総会だよね。

渡邉　全人代は株主総会なのですよ。もっとも、シャンシャン総会の株主総会で、反発は出ないという発表会のようなものです。

宮崎　株主に質問を認めないのだから。

渡邉　仮に取締役会で習近平体制にノーを突き付けた場合、次の体制がどうなるか。理論上はふたつ可能性があります。共青団が力をつければ透明化方向で民主化方向に動く可能性もあるけれど、大混乱した中国を共青団がまとめられるとはとうてい思えない。そうなると、中国の自由化どころか共産党独裁体制をさらに強める方向でしか国家の運営はできないだろうと想像がつくわけです。中国の自由化＝共産党独裁体制の崩壊であり、既存の既得権益の放棄になるからです。

また、膨大な人口を抱える中国でそれを行えば、統治そのものが崩壊する可能性が高い。不動産バブルにしても、14億人しかいないところに32億人分の住居があって、50数億人分の開発計画なんて無茶な計画で誤魔化してきているわけだけれども、これが全部瓦解してくる。今、ローン倍率でいうと深圳で年収の32倍、上海、北京で22倍という、日本のバブルを軽く凌駕《りょうが》するほど膨らんでいます。

日本は損切りをしてでも脱中国をはかるべきです。

宮崎　私は中国放棄論を展開してきました。

世界は台湾の脱中国を見習え

渡邉　今回の問題は悪いことばかりではなく、世界各国は改めて国家と国民を考えるきっかけにもなり、先進国が協調して、次の世界を作る要素にもなります。

その実例が台湾であり、米中貿易戦争激化により中国への投資を減らし、非常に速い速度で自国への製造業の国内回帰を進め、中国本土からのインバウンドに頼るのもやめていた。その結果として、今回の事態を受けてもＧＤＰ成長率２％前後を維持するとしており、長期化してもプラス成長としているわけです。
日本だけでなく、世界がこの台湾の姿勢を見習うべきです。

宮崎　日本がまだ中国からの渡航制限をする前のことですが、台湾独立建国聯盟日本本部委員長の王明理《おうめいり》さんによれば、「台湾の人たちは、日本の状況を非常に心配している。日本はなぜ、いまだに中国からの旅行者を受け入れているのかと。東日本大震災のときと同じような感じで、日本に感染が広がっていくのをわがことのように案じている」と嘆かれていました。

渡邉　そうですね。日本では3月11日に感染爆発が起きた北海道の医療機関などが取りまとめた初期診療の手引きが公表され、日本医師会などもこれに合わせる形で動き出しました。医療崩壊さえ起こさなければ、致死率を低下させることができるわけです。そして、今のところ日本はコントロールに成功しています。

また、ワクチンですが、少なくとも安全性確認などに1年程度が必要であり、どんなにはやめても年内はかかります。ですから、ワクチンではなく、既存の薬に期待がかかっているわけです。この結果はそろそろ見えてくると思われ、こちらのほうが期待が高い。

それから繰り返しますが、日本は損切りすべきです。日本は内需が60％の国であり、中国人のインバウンドの経済全体に与える割合はせいぜい1%にすぎません。しかし、日本人全体の消費や生産が止まった場合の影響ははかりしれず、国民の生命は単純に数字で語れない。

日本企業の海外での生産売り上げは、企業の業績には反映されますが、GDPに直接反映されるものではありません。あくまでも国内総生産であり、日本に回帰させなければ日本のGDPは伸びないりです。自国優先の経済を考えなくては、自国民が貧しくなるばかりでなく、逆に日本企業が海外で作ったものにより奪われる側面もあることを中国から手痛いほど学んだはずです。

これを変えるのが今だと考えます。

宮崎 損切りの決断とは市場用語ですから、同じことを小生の用語で言いますと「中国放棄」です。

第5章

中国進出企業とソフトバンクの末路

中国撤退のジレンマ

宮崎　日本経済および日本企業について論じましょう。

日本経済の凋落は株価大下落をみていても了解できます。

自宅待機、在宅勤務、学校は休校となり、3月8日から始まった大相撲大阪場所無観客体制、誰もみていないところ優勝した白鵬だって気分は白《しら》けていたのでは？　春の高校野球は中止。イベントは軒並み中止、とうとう東京五輪の開催は延期されちゃった。プロ野球も無観客とし、これらの被害額は巨額、特にフリーの舞台装置、楽屋関連は月収が10万円以下というのがザラ。米国では中国に対して損害賠償の裁判がおきています。

旅行大手代理店のＨＩＳが赤字転落、新学期なのに「洋服の青山」は売り上げ急減、その前の卒業式、謝恩会が規模縮小とか中止だからホテル、式場、貸衣装、美容室も、相当の被害でしょう。政府は倒産の危機にある中小零細企業へ、無利子、無担保の融資を実行するとしています。

わが家の近くに椿山荘がありますが、例年なら和装にブーツという女子学生の謝恩会風景が見られるのに今年はその和やかな光景がまったくないし、花見も町内会が屋台村を出しませんでした。

渡邉 実際、サプライチェーンの混乱が、関西の中小企業にも大きな影響を及ぼしています。関西は、輸出入額に占める中国の依存度が全国に比べて高く、打撃が大きい。中には99%が中国との取引という業者もあります。

大企業では中国以外の地域で代替生産を検討する動きがあっても資金力の乏しい中小企業はそうはいかないようです。

また、中国から撤退するとしても、撤退時に日本にお金を持って帰れない。そうなると、帳簿上は資産というかたちで利益が中国に残ることになるのに、持って帰れないので、全損扱いで損金計上しなくてはならない。損金計上すると、バランスシート上の企業の業績が一気に悪化する。持ち帰れない架空のお金であっても、帳簿上は残っているわけですから。これが全損ということになると、帳簿上のお金が一気に消えてしまうので、バランスシートが一気におかしくなる会社が出てくる。そういうジレンマがあります。

宮崎 総合商社の丸紅もいきなり1900億円の赤字を計上しました。

インバウンド客がいなくなった

宮崎　日本の経済的陥没の第一幕、すなわち最初の悲鳴はインバウンド業界からあがりました。

日本政府観光局（JNTO）によると2月の訪日客数は前年同月比58・3％減の108万5100人でした。東日本大震災直後の62・5％減に並ぶ規模です。3月はもっと酷いでしょう。

中でも中国の8万7200人（87・9％減）と韓国の14万3900人（79・9％減）が群を抜いています。

2月末に宮崎市に行ったのですが、巨人のキャンプでものすごい人である季節なのに、深閑として大通りに人影なく、レストランもガラガラ。「八紘一宇」の巨大なモニュメントのある平和台公園は、「いつもなら中国からのツアー客でバスが数十台駐車していますが、みてください。バスは1台もいないでしょ」とは乗ったタクシーの運転手のぼやきでした。マイカーも少なくて駐車場が空いている。

宮崎市から鹿児島県国分へ向かう特急は1車両に6、7人しか乗っていなかった。鹿児島でもホテル客は半分、朝の食堂の空いていること!

霧島神宮にも観光客がいない。ホテルは個人客こそ多少ありますが、団体客はいない。特に中国、韓国からの団体はゼロ。宴会場も空洞、ホテル全体が幽霊屋敷のようでした。気味が悪いほどです。

パートやアルバイトはレイオフ。しかし受付はなぜか中国人女性ばかり(いかに中国人ツアーが多かったか。かれらへの対応のため中国人スタッフを雇用していた。そしてツアー客がいなくとも、契約上、彼女たちは雇用し続けなければならない)。

この状況は日本全土に普遍的で、とりわけ北海道と大阪はホテル客半減か、それ以下でしょう。新大阪駅前には「コロナホテル」があります(笑)。名前が悪いのか宿泊者数激減です。道頓堀には「武漢頑張れ」という旗が立っている。

ディズニーランド、としまえんも上野動物園も、国立歴史博物館も休園、休館となり、次に被害が及んだのは、バス会社、ガイド、通訳。契約しているレストラン、土産屋(ラオックスもマツモトキヨシもヨドバシもドンキホーテも空いている)。バスのチャーターはほとんどがキャンセル、運転手さんは手持ち無沙汰です。

盛り場の赤坂、六本木、銀座、池袋は人出が30％減、ＪＲ山手線も地下鉄も空いている。ということは娯楽施設、映画館、パチンコ、喫茶店、はては風俗業界まで、客足が遠のいた。表面的な観察だけで観光関連に絞り込んで見ただけでも、これだけ悲惨な状況、株価が下落し続けています。札幌の人通りのなさはまるで武漢のようです。

苦境に陥る中国進出企業

渡邉　売上高の約４割が中国事業である日本ペイントホールディングスは中国での工場停止などの影響が出て通期業績予想の発表を見送りました。これは東日本大震災の発生した11年以来のようです。同社によると中国の約50工場のうち湖北省などの３工場が停止し、それ以外の工場も従業員が出勤できないなどの支障が出ており、中国全体での操業規模が通常時の３～４割程度に落ち込んでいるようです。

宮崎　中国進出企業のうちかろうじて一部工場を再開したのはトヨタ、住友化学、村田製作所、日本精工、ソニーなど、旧正月前のフル生産に遠く及ばず、先行きは真っ暗。

渡邉　ダイキン工業は新型コロナウイルス感染拡大の影響で労使交渉を中断しています。

日立建機によると20年3月期の中国市場による売上高見通しは前期比27%減の880億円と、前回予想より57億円下方修正しました。現地メーカーの安値攻勢に加えて、受注環境の悪化、現地生産への余波を不安視しています。

大手アパレルのレナウンも中国ビジネスで苦境に陥っています（日経新聞、3月3日）。米中貿易戦争のあおりで、親会社である中国・山東如意科技集団の子会社の恒成国際発展から売掛金53億円が回収できず赤字が続いています。恒成国際から売掛金が受け取れない場合は山東如意が代わりに支払う取り決めがあったのですが、山東如意は19年の社債償還を優先にしてそれどころではなかった。中国の合弁会社を2011年に設立し、10年間で1000店舗出す計画が100店舗にすら届かず撤退。オーダースーツ事業も不採算で19年に撤退しています。

宮崎　中国市場が特に強いのが自動車ですが、とてつもなく悲惨です。1月の速報で中国の新車販売は19%減と出ましたが、2月になると、トヨタは中国で70%減、ホンダは実に85%減となって、強気の工場拡張が裏目に出ています。

商社の伊藤忠だって輸出・輸入ともに相当なダメージを受けているはずです。日本はまだ良いほうで、2月の新車販売速報では、GMは90%以上の減少、韓国系に至っては現代は97・4％減の1007台、起亜は95・6％減の972台。これって、驚きというより悲惨です。中国では電気自動車購入についた補助金もなくなりEVメーカーは先行き倒産ラッシュが予想されますね。テスラはまったくの思惑外れに終わりそうです。

それでも中国に媚びる経営者

渡邉　武漢コロナで、世界中から中国人が消えていくことは確かだし、日本企業でも、中国から撤退しようと見計らっていたところは、これを機に一気に撤退するでしょう。たとえば、この状況で、日本人の中国駐在員を国に帰さずに中国で操業を続けさせた結果、肺炎に罹って亡くなりでもしたら、家族は当然会社に対して、訴訟を起こすでしょう。メディアも飛びつくし、電通の新人女性社員の過労自殺事件（2015年）と一緒のことが起こる。そうなれば、役員のクビが飛ぶだけではすまないでしょう。

たしかに会社経営からすれば、会社に損失を与えることになりますが、日本の場合、カネと人命の話になれば命が重くなる。つまり、リスクマネージメントができない会社だと評価される。そうした判断をした役員自身がさらされることになる。それに耐えられるの

中国で働く日本人の従業員は103万人

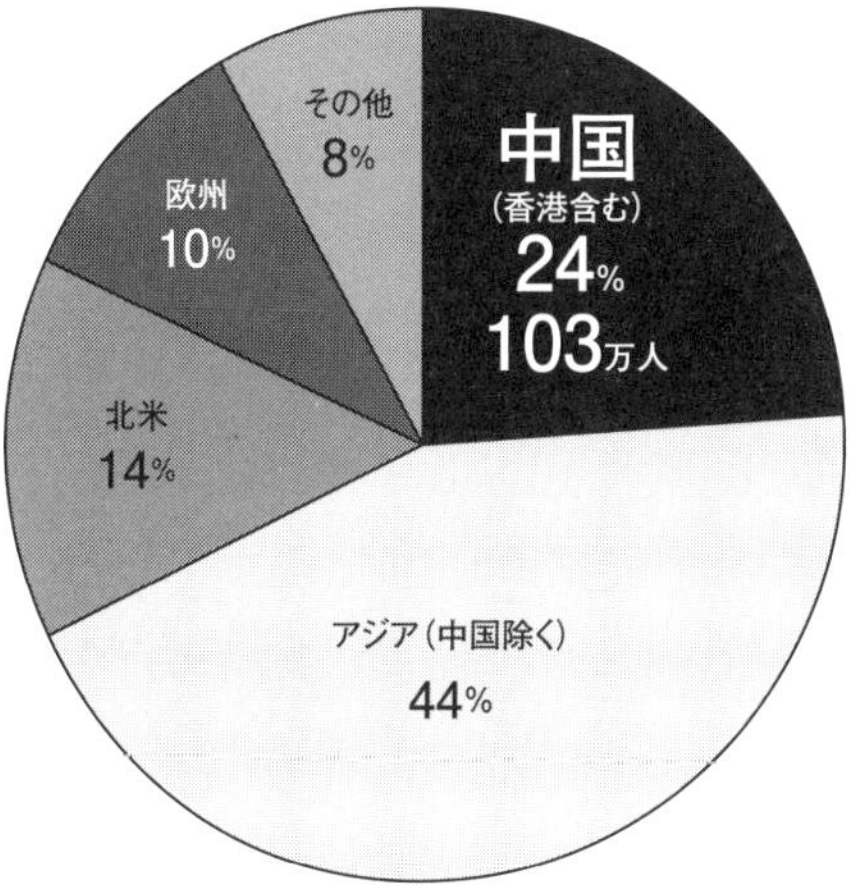

（注）2019年9月末時点
（出所）経産省「海外現地法人四半期調査」

ですか、という話です。耐えられないと思うのだったら、早く撤退を決めたほうがいい。

宮崎　和民《ワタミ》はいち早く全店閉鎖を決めました。

渡邉　全店といってももともと数店舗しかありませんが、あれだけ「ブラック企業」だと叩かれていた会社でさえ撤退を決めたことは重くみるべきです。

宮崎　日本電産は米中貿易戦争のあおりを受けて19年の４月〜６月期に前年比４割減まで落ち込んでいました。しかしその日本電産が今年の２月に中国にＥＶモーターで２０００億円再投資すると発表したから驚きました。

渡邉　このタイミングですから、経営者はどうかしているとしか言いようがない。

創業者で現CEOの永守重信氏は日本経済新聞で経営者ブログを連載していたのですが、日本の法人税がアジア諸国に比べ20%ほど高いうえ、2009年当時は円高だったため妻の反対を押し切って民主党に投票し、人にも勧めたけれど民主党政権が成立したらもっとひどくなった。なんていう反省文を書いていたような人ですから（「出て行けというのなら…」）。ちなみに永守氏は2018年までソフトバンクGの社外取り締まりをやっていた人です。

宮崎　政治のことは、何もわからないといわざるをえない。そもそも商人がまつりごとに介入するのは間違いです。

渡邉　「嫁に怒られ、家にいても肩身が狭い」って。政治がわからない人は、経営者には向かないですよ。良くも悪くも経営は、究極の政治です。

また、中国半導体大手の紫光集団は19年11月、高級副総裁に坂本幸雄氏の起用を決めましたが、この人はまさに「売国奴」です。日本の半導体大手でDRAMで世界第3位だったエルピーダメモリの元社長で、同社を米マイクロンに投げ売りし、今度はその技術を中国に売り渡そうというのでしょう。エルピーダは2009年に改正産業活力再生法（産活法）の適用第1号となり、300億円の公的資金を得ていたにもかかわらず倒産しました。しかしこの倒産は「計画倒産」だったのではないかと疑われています。しかも倒産のため最大2277億円のツケが国民に回ったことになる。

宮崎 日本にも日本人の顔をした中国人みたいな詐欺師が増えた。

中国と蜜月のソフトバンクGもヤバい

渡邉 ソフトバンクGもやばいですよ。グループのファンド事業であるビジョンファンドの投資先には中国企業が多いですから。

3月に入り、ソフトバンクGの株が7年超ぶり急落に陥ってます。19日の下落率17%（株価2687円）は1994年の上場以来最大となっています。これはハゲタカ、物言う株主（アクティビスト）で有名なポール・シンガーが率いる米投資会社のエリオット・マネジメントによる30億ドル取得の事実が明らかになる前の水準以下です。2月にそれが明らかになると一時株価が12%上昇し、5000円台に戻していたのですが。

また3月13日に5000億円を上限とした自社株買いを発表しましたが、格付け会社のS&Pグローバル・レーティングから格付けを「安定的」から「ネガティブ（弱含み）」に

ソフトバンクGの株価（日別）は2020年に3000円以上下落

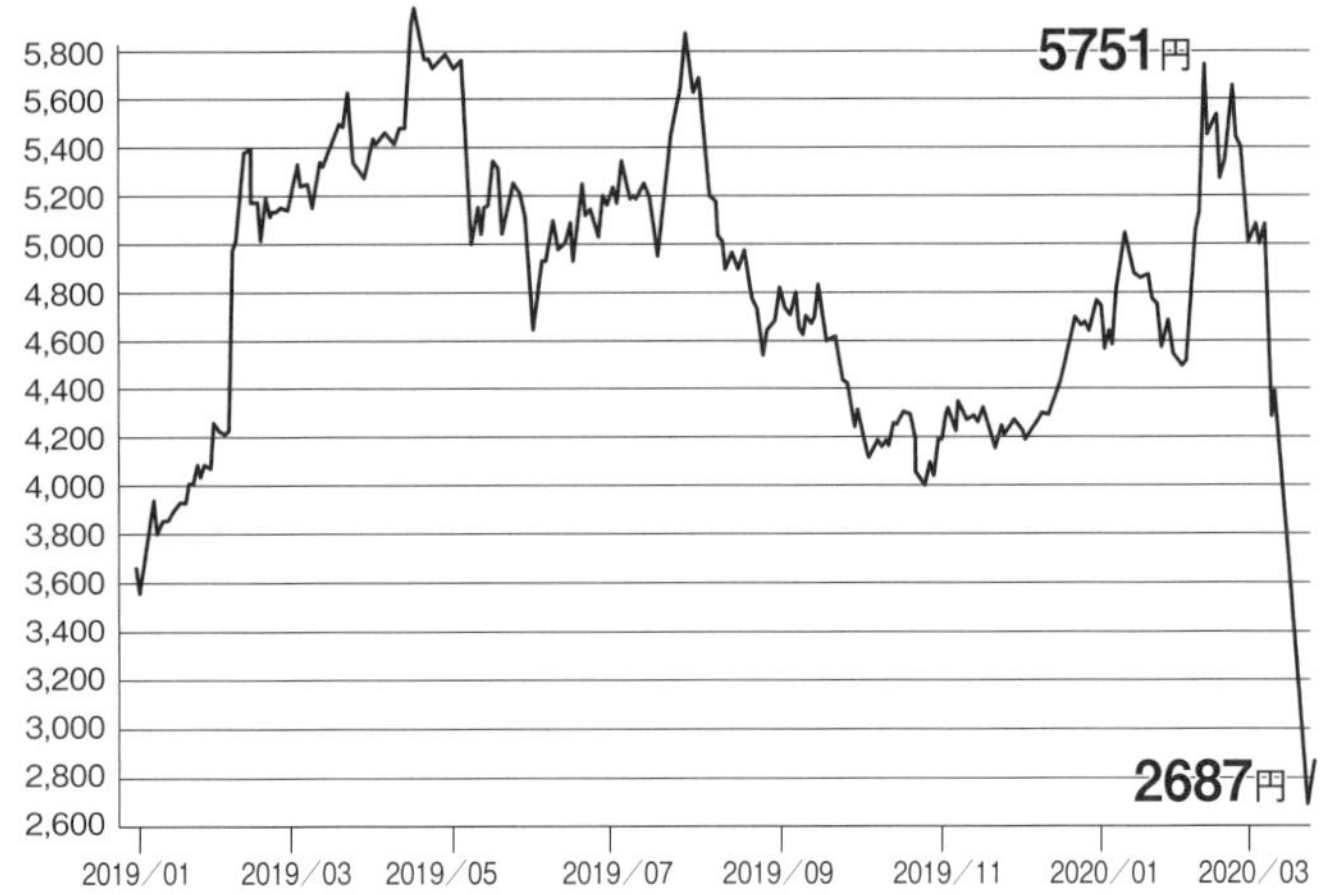

引き下げられていました。

さらに23日に4兆5000億円の資産を売却しそのうち2兆円を自社株買いに加えるという緊急措置に出ています。直近のソフトバンクGの時価総額が6兆円弱ですから、合計2兆5000億円の自社株買いの大きさがわかります。自社株買いはエリオットからの要求のひとつでもありました

この発表をしてからさすがにストップ高の3187円となりましたが、3月に入ってからだけで5割近く下落していましたから予断は許さない状況に変わりはないでしょう。ひとつ言えることはデレバレッジに向けて動いたことは確かです。

宮崎　売却する資産はアリババ株ともソフト

日本企業による自社株買いが急増中

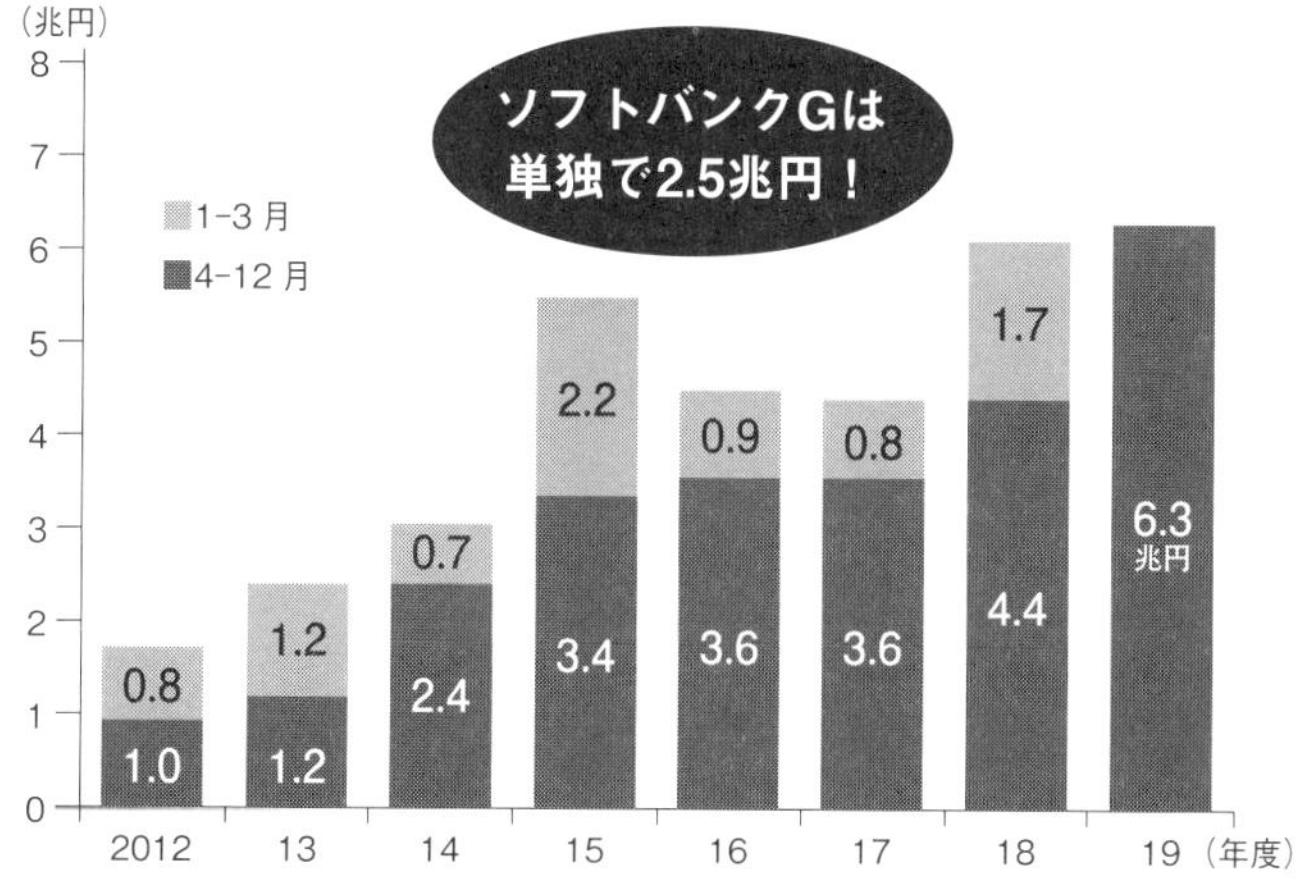

（注）東証1部、設定金額ベース
（資料）QUICKより作成

バンク株ともいわれていますが、格付け会社のムーディーズは「資産売却を実行することは容易ではない」と指摘し、さらなる引き下げを予告しましたね。

渡邉　ソフトバンクＧは対抗してムーディーズの格付けを取り下げました。基本的に格付けは、債券の発行主体がその発行に際し、格付け会社に依頼し評価してもらうものとなっています。大手格付け３社、ムーディーズ、Ｓ＆Ｐ、フィッチのうち、できれば２社以上の格付けを得て、それを投資家に提示する必要があるわけです。

　また、日本にはこれ以外にも認定格付け機関として、財務省の天下り先であるＪＣＲ（日本格付研究所）と日経新聞系のＲ

＆Ｉ（格付投資情報センター）がありますが、今回、ソフトバンクＧがムーディーズの格付けを取り下げたことで、国際格付け機関から得ている格付けはＳ＆Ｐ１社となりました。このため、多くの外国人機関投資家は投資不適格（ジャンク）と評価せざるをえず、購入や保持ができなくなります。自分で自分のクビを絞めることになる。したがって、ソフトバンクＧの資金調達がさらに難しくなることは必須であり、銀行などから携帯電話など事業会社の売却を求められる可能性が高まりました。

挫折続きの投資事業

渡邉　ソフトバンクＧの凋落が浮き彫りになったのは、19年の7－9月期の連結決算で7000億円以上という巨額の赤字を出したことが話題になりました。ソフトバンクＧが設立した超巨大ファンド「ソフトバンク・ビジョン・ファンド」は約10兆円を運用していますが、投資先のウィーワークというアメリカのレンタルオフィス会社が赤字となり、ビジョンファンドだけで1兆円近い赤字を出しました。

ビジョンファンドは「ベンチャー・キャピタル・ファンド」といって、海のものとも山

投資事業がグループの利益の足を引っ張る

ソフトバンクグループの営業利益推移

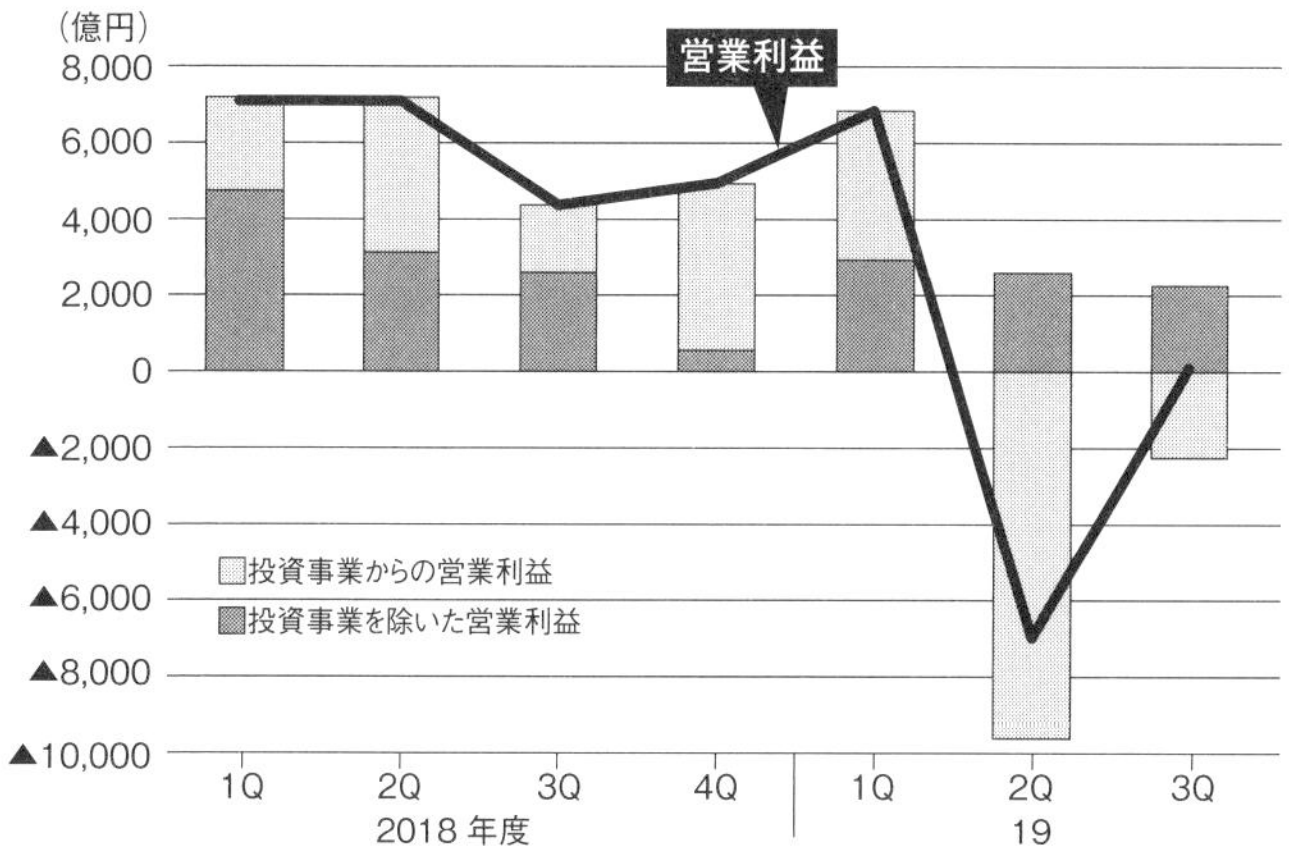

（注）SVFはソフトバンク・ビジョン・ファンド
（出所）東洋経済オンラインより

のものともわからない新興企業に出資し、新規上場（IPO）させることにより得た上場益を抜くというのが、そのビジネスモデルです。新興企業の一番の欠点は資金がないことなので、出資することにより当たりが出れば大きい分、たいていは失敗する。「千三（せんみつ）」という言葉があるように「千に三つ成功すればいい」というレベルです。アリババではたしかに大成功したんですがね。

宮崎　そのアリババとてどうなるかわかりませんよ。資金繰りが苦しく香港でIPOに踏み切り、1兆2000億円をかき集めています。

孫正義《そんまさよし》氏は有利子負債15兆円もあるの

に、なぜ不動かといえば、このアリババの時価総額という虚像が影響しているからでしょう。

渡邉　アリババ自身もソフトバンクG同様にさまざまなユニコーン企業を買収してきているのですが、それらの企業が米国のエンティティリスト（EL）に入れられる可能性があります。

たとえばセンスタイムという企業はアリババとソフトバンクG両社が投資していますが、制裁対象になっています。そうなるとその投資そのものが否定される可能性もあり、アリババ自身に制裁が及ぶ可能性もあります。

また、ソフトバンクGはウィーワーク以外にも配車サービスのウーバー・テクノロジーズ、ビジネス対話アプリのスラック・テクノロジーズも赤字を出しています。さらに、インドのホテルチェーンのOYO（オヨ）が大幅なリストラを進めるとのことです（ブルームバーグ、3月4日）。オヨはホテル・不動産賃貸事業を手掛けてますが、世界で約5000人を削減し、従業員数を2万5000人前後とする計画です。特に中国の雇用を減らす。

さらに、ソフトバンクGが19億ドル出資する英衛星ベンチャー企業One Webが資金繰り難のため経済破綻しました（3月28日）。また、ブルームバーグによると、ソフトバンク

苦戦するビジョンファンドの投資先

上場企業	ウーバーテクノロジーズ(米国)	配車サービス	7～9月は11億ドル超の最終赤字。韓国で不採算の料理宅配を休止
	ウーバーイーツ(米国)	料理宅配	第3四半期に3億1600万ドルの赤字
	スラック・テクノロジーズ(米国)	ビジネス対話アプリ	8月～10月は最終赤字が拡大。米マイクロソフトとシェア争い
	商湯科技開発有限公司(センスタイム、中国)	顔認識AI	10月に米国製品の輸出を規制するエンティティ・リスト入り
	ワンコネクト・ファイナンシャル・テクノロジー(中国)	クラウド・フィンテック	米IPOを従来の1株12～14ドルから同9～10ドルに下げる。資金調達額がほぼ半減
	ガーダントヘルス(米国)	ゲノム解析	解析技術に利用増え、4～6月は売上高が前年比2.8倍に。最終赤字続く
	VIRバイオテクノロジー(米国)	医薬品開発	10月に上場。公開価格は仮条件の下限の1億4300万ドルで決まった
非上場企業	自如(Ziroom、中国)	不動産	コロナの影響で住宅賃貸ニーズが減少。賃料の減少でキャッシュフローが圧迫
	北京字節跳動科技(バイトダンス、中国)	動画投稿アプリ	利用者の個人情報の取り扱いをめぐり米外国投資委員会(CFIUS)が調査
	滴滴出行(中国)	配車サービス	非中核事業を縮小、個人業績が低かった2千人を解雇するなど組織再編
	グラブ(シンガポール)	配車サービス	東南アジア8カ国でサービスの担い手は900万人に。当面赤字に
	ドアダッシュ(米国)	料理宅配	ウバーイーツなどを抜いて首位に立つも、19年は通年で4億5000万ドルの赤字
	ゲットアラウンド(米国)	カーシェア	コロナの影響で深刻な資金不足に陥り、身売り先を探しているとの米報道
	OYO(オヨ、インド)	ホテルチェーン	印で1800人超を削減するなど組織再編、日本では不動産賃貸事業でZHD(旧ヤフー)と資本関係を解消
	Paytm(インド)	モバイル決済	17年度は160億ルピーの最終赤字。18年度も赤字拡大。現地報道によると500人程度を解雇
	クーバン(韓国)	ネット通販	増収も、物流倉庫など先行投資で赤字続く。韓国内で収益に懸念の声も
	ウィーカンパニー(米国)	シェアオフィス	10月、IPOを断念。ソフトバンクGは約30億ドル分のウィー株を取得と表明したが、20年4月に撤回
	カテラ(米国)	建設設計	サウジでも事業展開。上場観測とともに小規模リストラ実施との報道も
	フェア(米国)	自動車リース	経営陣交代、従業員を大幅削減へ
	ワグ(米国)	犬の散歩代行サービス	競合に事業を圧迫され、会社が売却されるとの米報道
	ラッピ(コロンビア)	宅配アプリ	従業員の6%を削減。デリバリー事業を開発する際に企業秘密を盗んだとして米国で訴訟

※年の記載がない場合は2019年
日本経済新聞などから作成

Gが支援する米カーシェア企業ゲットアラウンドが身売り先を求めていると報じられました（3月21日）。

ソフトバンクGが出資する多くの事業が破綻しているのですよね。ビジョン・ファンドは市場の独占を目指してスタートアップ1社につき最低でも1億ドルを投資する戦略なんですが、3年足らずで800億ドル（約8兆8000億円）以上を〝溶かす〟結果となりました（『WIRED』1月20日）。

宮崎　そのオヨってホテル、私はインド各地で何軒か泊まりました。

渡邉　ユニコーン企業（企業としての評価額が10億ドル〔約1250億円〕以上で、非上場のITベンチャー企業）に投資をすると言うのですが、ウィーワークは何かというと、単にインターネットで募集するだけの貸部屋屋ですから。決して新しくもない。ウーバーなんてインターネットで呼べる白タクです。

それから投資先の問題だけでなく、たとえばウーバーと同様の配車サービスである滴滴出行やラッピ、料理宅配ではウーバーイーツとドアダッシュ両社に投資している。そんなことをしたら同業同士の食い合い、カニバるのはわかっているのに。

宮崎　そういう点では、拙速ですよね。一人の人間に決定権が集中すると、往々にして間違うということはありますユニクロの柳井某とか社外取締役がいたけど辞めたでしょう。

まあ、明るい話題といえば、ソフトバンクGが過半数の株を持つスプリントとTモバイルとの合併くらいでしょうかね。アメリカの連邦地裁が合併差し止め請求を棄却して（2月11日）、同請求を主導してきたニューヨーク州も上訴を断念しましたから。4月2日に正式に合併したことが報じられました。それにしても2年越しですよ。

渡邉 ただ、2018年4月に合意していたTモバイルによる265億ドルというスプリントの買収価格が引き下げられた可能性があります（ブルームバーグ、2月12日）。スプリントの月間のチャーンレート（解約率）が2％近くに上昇していて企業価値が落ちていましたから。加えて、ユーザー1人当たりの平均収入もTモバイルとの合併発表以降5％減少していました。

ワグ（米国）という犬のお散歩代行サービスも競合に事業を圧迫されて失敗しています。かなり厳しい。ソフトバンクGというのは、アリババの発行株式の25％を保有しており、だいたい31兆円の資産を持っていると自称（ソフトバンクグループ株式会社2020年3月期第3四半期決算説明会より）しています。

宮崎 それは時価評価でしょう。たとえば中国の長者番付1位だった万達集団の王健林《おうけんりん》。

かれの資産は持ち株評価でしたから株価急落でたちまち転落です。

渡邉　時価評価で31兆円（20年2月12日時点）。そのうち、約半分の16・1兆円がアリババ株（ソフトバンク4・8兆円、スプリント3・2兆円、ビジョンファンド3・2兆円、アーム2・7兆円、その他1・1兆円）です。しかし、当たり前ですが16・1兆円の株式を一括して引き取れる企業なんてありません。

宮崎　中国政府くらいでしょう。

渡邉　国有化ですね。仮に16・1兆円分の株をマーケットに売りに出したら、株価暴落しちゃいますよ。しかも、売ったら最大3割税金がかかるので、額面上16・1兆円でも売却すればそこから3割減損しなくてはならない。だいたい時価評価が危ういのは、3月12日時点のアリババ、ソフトバンク、スプリントの3社合計の評価額は19・9兆円で、一月前の2月12日にあった24兆1000億円から4兆2000億円、率にして17％も減少したことからもわかります（日経QUICKニュース、3月13日）。ソフトバンクGの社長兼会長兼CEOの孫正義氏は保有株式の時価評価の透明性を訴えますが、危うい。ましてや今回の危機が招く株安ではその脆弱性が一気に露呈しました。

さらにビジョンファンドが保有する他の株式に関しても、大半がユニコーン企業なので非上場株です。日本の会計基準では非上場株式の評価益は認められませんが、国際会計基準（IFRS）ではそれ認めている。つまり非上場で市場価格がないため、自己評価できる仕組みになっているのです。

ただ、自己評価できるといっても、通常は資産評価を低くして、儲けを出さないようにします。高く評価すると、利益になってしまうから。ところが、ソフトバンクGはそれを高く評価して評価益を釣り上げているのではないかといわれていて、非常に不透明です。

しかも、景気悪化で未公開企業の上場が遅れる可能性が高い。現に孫氏は2020年には10社を上場させるといっていたのを「数社」に変更しています。当然遅れれば、投資家に約束した運用利回りを確保できなくなるだけでなく、資金集めも難しくなります。

ビジョンファンドの無謀な「年利7％」

渡邉 さらに、ビジョンファンドに関して言うと、1000億ドルの資金のうち、280億ドルをソフトバンクが出資し、残りの720億ドルを外部から集めた（ビタリー・N・カツエネルソン）のですが、そのうち62％が優先株（負債）、38％が資本（普通株）に分かれています。

62％の優先株部分というのは、どんなに業績が悪くても12年はロックイン（資金を引き出せない）されている代わりに年利7％の12年保障がつき、38％資本部分は、8％以上の儲けが出たときに、総取りすることができるという構造になっているのですよ。

宮崎 ゼロ金利の世界で、7％で12年なんていうのは、要するに奇跡でも起こらない限り無理でしょう。だいたい、中国の成長率も、公称でさえ6％台です。日本はだいたい0.5％だった。常識で考えて年7％12年保障なんて嘘だろうと思うのが普通でしょう。これをまたサウジやアブダビの政府系ファンドやアップルが買っているんだから。

渡邉 ただ、損失が出た場合、38％の資本部分がどんどん食われる仕組みになっているので、とりあえず4割減損しなければ返せるという計算なんですが、毎年7％の配当をやっていったら、収益が出ないと運用元本が減っていく構造です。

宮崎 単純計算で、31億ドル弱減る（日経新聞の報道では外部投資家の出資額は4兆円で、2800億円の配当）。

渡邉 19年7月にビジョンファンド2という、さらに大きなファンドを作ると発表しましたが、2に関しては資金が全然集まっていない。約12兆円の目標に対しなんと2000億円しか集まらないという非常事態になってしまったわけです。

ソフトバンクGの株は2割以上孫氏が持つ

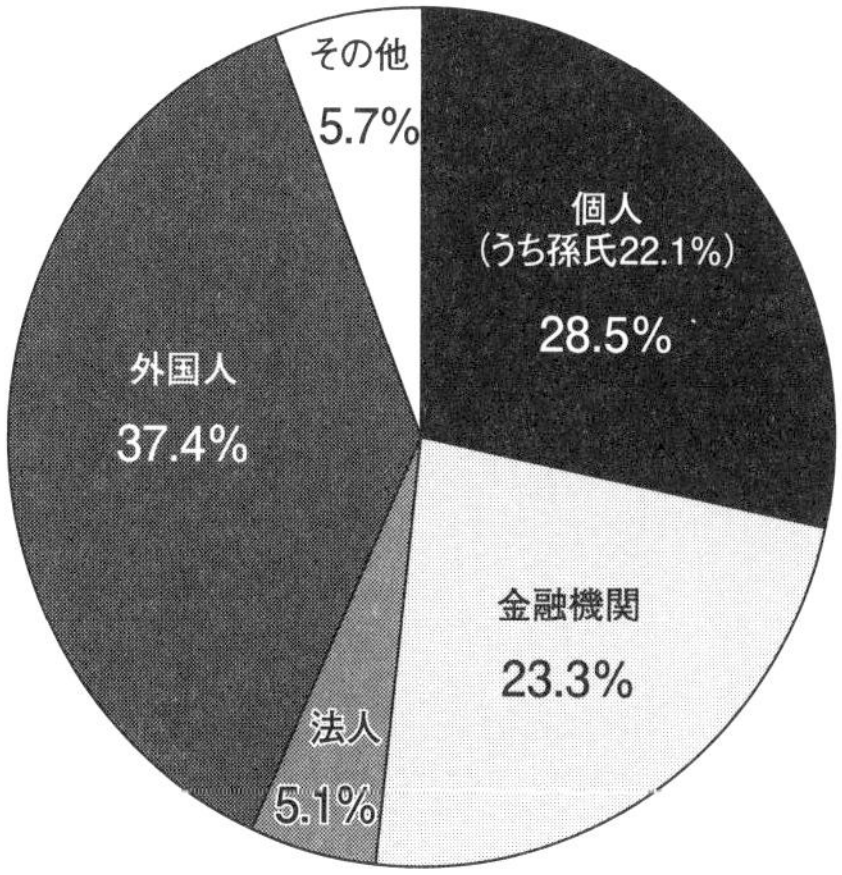

（出所）日経会社情報、19年9月時点

宮崎　50分の1ですね。

渡邉　先述したようにムーディーズは、投資不適格のジャンク債、という評価なので海外からのこれ以上の融資は望めない。

国内銀行に関して言えば、ソフトバンクGは3大メガバンクからすでに合計で約1兆4000億円（みずほ5977億円、三井住友4489億円、三菱UFJ3363億円。19年3月末時点）借りていて、三井住友と三菱UFJはほぼ担保を押さえているようですが、みずほは押さえきれていないのではないか、と言われている。みずほに関しても、最悪1兆円くらいの損失であればどうってことないのですが、問題は約5・2兆円あるソフトバングGの社債・CP（コマーシャルペーパー）のうち証券会社が売った個人向けがいくらあるかですよ。それがファンドの中に組み込まれた場合、影響がかなり出てしまうので。

三菱UFJと三井住友は資産を売って借金を消してソフトバンクGの会社の規模を小さくしていけと言っている。携帯電話事業のソフトバンクを上場させたように。しかし、みずほはさらに3000億円追い貸しをすると言います。

宮崎 孫正義は、三菱UFJと三井住友のいうことなんて聞かないでしょう。

渡邉 ソフトバンクGのビジネスモデルが成立しなくなりますから。

孫氏はソフトバンクのグループ全体の発行株式の約4分の1を保有し、ユニクロの親会社のファーストリテイリング創業者の柳井正《やないただし》に次ぐ、日本で2位の富豪です。

さらに言うと、ビジョンファンドには孫正義氏個人も投資しています。

孫氏が創業以来保有するソフトバンクGの株とは別で、ソフトバンクGの株を担保にお金を借りているのですが、その割合も増えています。

加えて、ソフトバンクGが役員会で50億ドルまで役員個人に融資枠を与えた。そのほとんどを孫正義が借りているのです。たぶんそれで、自分でビジョンファンドに投資しているのだと思うのですけれど。これって完全な利益相反で、見方を変えたら、会社にとっては背任行為でもあるわけですよ。要するにソフトバンクGという会社の実態が孫氏の個人企業なのか上場企業なのかよくわからない。

宮崎 第2のゴーンですか。

欧米のメディアの批判にさらされる孫正義

渡邉 ソフトバンクGの不透明さや孫氏の投資姿勢に対する批判が、ウォールストリートジャーナルやブルームバーグなどの経済情報誌に大っぴらに語られ始めたところに、一番の問題がある。世界の投資家がそれを読んでいます。

ロイターやフィナンシャルタイムズなどさまざまなアナリストが疑問を呈しています。

宮崎 不透明といえば、アメリカでもエンロン事件という粉飾決算がバレた大詐欺がありました（2001年）が、あの規模を超えるよね。詐欺的構造は似ているわけだから。

渡邉 やっていることは一緒です。借金を借金で返すことを「自転車操業」といい、借金を大きな借金をして返すことを「大車輪」と言うのですが、ソフトバンクGがやっているのがまさにそれです。

宮崎　もしくは借金業と言えるかも。「職業はなんでしょうか？」「借金業です」と。

渡邉　自転車操業でも大車輪でも走り続けている限りはいいのですが、いったん止まってしまうとこてっと転んでしまうのでソフトバンクGはもう止まれない。そのためには出資を集め優良な投資先を見つけなければなりませんが、もうないというのが現状でしょう。簡単にいえば、世界の経済成長率が平均7％以上あるならば7％の配当も実現できるでしょうけど、2・5％前後ですから。

宮崎　孫正義の壮大なる自転車操業のモデルは中国です。中国そのものが自転車操業でしょう。今までは、対米輸出の黒字と豊富な外貨準備という両輪で回っていたのが、両方止まるどころか、下手したら後ろ向きに回転している。

「事実上の脱法行為」で税金も払わない

渡邉　孫氏はまるで救世主のように自らのポケットマネーで新型のコロナの100万人の人たちに検査を受けさせる「新型コロナ100万人検査計画」をツイッターで表明したも

のの批判が相次ぎ撤回しています。先に述べたようにそんなことをすれば医療崩壊が起こりかねない。

また、ソフトバンクGの黒字を消すやり方が「事実上の脱法行為」(国税庁幹部、エヌピー通信社)だと問題になりました。その手法というのは、英アーム・ホールディングをソフトバンクGが買ったのですが、アーム・ホールディングスの中核事業であるアーム・リミテッドの株式の4分の3を配当の名目で受け取ったうえで、価値のなくなったアーム・ホールディングスの株をビジョンファンドなどに8割売却させ、2兆円を超える赤字(財務上の欠損金)を創出し、他の利益で帳消しにしました。

ようするにアーム・リミテッドの親会社がアーム・ホールディングスからソフトバンクGに移っただけで、法人税を納めずにすんだのです。しかもこのやり方だと翌年から10年間にわたって繰り越し、黒字から差し引き毎年税負担を軽くすることができる。

国税庁は翌2020年の税制改正大綱でこのような脱法行為を防ぐ枠組みを作ろうとしています。企業の租税回避と税制改正はいたちごっこではあるけれど、グローバル企業のタックスヘイブンなどを利用した租税回避を、今後は全面的に封じ込められる可能性が高いということができるでしょう。

宮崎　アーム・ホールディングスについては2016年、米中貿易戦争が勃発する前に孫氏が買収したことに対し、「先見力がある」と孫氏のM&Aを前向きに評価する声が強かったのです。

すでにアーム・チャイナはファーウェイ、ハイシリコンなどと取引を膨張させており、CPU（中央演算装置）を開発している。米国はソフトバンクGを、中国資金で動く「中国の代理人」ではないかと、スプリント買収直後から、孫正義の調査を続けているという情報があり、ソフトバンクGの資金の一部、とりわけ大型買収の資金が中国系（中国海軍の父といわれる劉華清《りゅうかせい》の娘らが設立したファンドなど）から流れ込んでいる疑惑を持っているといいます。

中国とソフトバンクGは共倒れか？

渡邉　ただでさえ正念場を迎えているソフトバンクGに武漢コロナがトドメを刺す可能性は十二分にある。

そうなれば、投資会社のソフトバンクGとその傘下にある事業会社のソフトバンクやZ

ホールディングス（旧ヤフー）は銀行などが事業会社を売却させると思います。資本的に切り離される。

通信会社のソフトバンクがなぜ成功してきたかといえば、モデムをタダで配ってシェアを奪ったからです。これを資金燃焼型モデル――最初に資金を大きく投下して他社を焼き尽くす――といい、ウーバーやペイペイがその典型ですが、クーポンやキャッシュバックで市場のシェアを奪い、他社を淘汰《とうた》するビジネスモデル。市場支配が進めば、利益を独り占めにできる半面、投下する資金が尽きる、またはライバルを淘汰できないと自らが破綻するリスクがある。

たしかにソフトバンクＧはこの資金燃焼型モデルでのばしてきたのですが、やってはいけない業種にまで手を伸ばして失敗している。たとえばウーバーは実質白タクだからタクシー業界が大反発して、日本国内では広まらない。前述したように同じ業種で複数社に投資したためにお互いに食い合って、結局シェアを取りきれない。シェアを取りきれないということは、第三者がいるので、価格競争だけが延々続くことになって、資金がどんどん減っていく。ひとつの業種でふたつの会社に投資するなら、合併させればいいのですが、合併させると独禁法に引っかかってしまう可能性が高い。そうした中で、ソフトバンクＧ

がやっているのはユニコーン企業を上場させて、上場させた時点で売り払って現金に換えるという、それだけのモデルなのですね。

売り払うことを前提としたモデルなのだけれど、今のマーケットの状態では、AI関連の業種は難しいですよ。まして中国の息がかかっている会社なんて、誰も買わない。買うとしたら中国政府くらい。しかしその中国政府も外貨がない。結局、ソフトバンクGも中国が倒れると一緒に倒れてしまう構造になっているのです。

加えて、NTTとトヨタの資本・業務提携も、トヨタと共同で配車サービスを手がける会社「モネ・テクノロジーズ」を設立していたソフトバンクにとっては痛手です。今回の資本提携でトヨタとの関係が変わるおそれがある。ソフトバンクは4Gでファーウェイを利用しており、このままファーウェイを排除できなければソフトバンクを利用するすべての会社が20年の8月以降、米国政府と取引できなくなってしまう可能性が高くなっていました。

一方、NTTは米国政府関連の事業も多くてがけており信用が高い。ソフトバンクGの一連の問題も加わり、トヨタも通信における選択を迫られていたのではないかと、私はみています。

最終章

コロナ恐慌でどうする日本

五輪1年延期はベストな選択

宮崎　さて日本がどうすればいいか論じましょう。

まず、東京五輪は1年ていどの延期となりました。安倍首相も小池知事も大会組織委員会の森喜朗《よしろう》会長も当初は予定通り開催を主張してましたが、米国オリンピック・パラリンピック委員会、米国陸上競技連盟や水泳連盟の延期要請、また、たとえ今年7月に東京五輪が予定通り開催されても、カナダ、オーストラリア、イギリス各国の五輪委が選手団を派遣しない方針を示していたことを受けて、一転して大会延期を検討する姿勢を見せました。ようするに延期への外堀を埋められた格好だけれども、実は水面下では1年延期が既定路線だったんじゃないの？　思えば、1年延期案を言い出したのはトランプでした（3月12日）。

渡邉　同感です。おそらく安倍首相、麻生副首相とトランプ大統領、ペンス副大統領の間で事前に話がついていたんだと思います。公式の電話会談だけでなく、見えないトップ同士の話し合いの痕跡《こんせき》が各所に見られていました。

開催の決定権を持っているのはあくまでＩＯＣ（国際オリンピック委員会）であり、ＩＯＣとの契約では、中止などに伴う費用負担や違約金は主催国負担になるので、日本側から延期を要請するわけにはいかなかった。しかも契約といっても、分野別にあり電話帳２冊分ぐらいの分量で正面から契約解除の手続きなど進められるはずもないし、そうでなくても中止や延期には膨大な費用が掛かりますから。

今回の場合、感染症が原因ですが、それでも免責条項はないんですね。しかし、特例的な対応を取ることは可能であり、この駆け引きが行われていたのでしょう。そもそも日本には責任はありません。ＩＯＣや国際社会の要請ということであればこれを正当化できる。このため、安倍総理はＧ７で「完全な形で開催したい」と表明し、トランプ大統領は「１００％支持する」と応え、各国首脳の同意を得ていました。日本にとってベストな選択と評価していいでしょう。

宮崎　延期にともない問題となるのは五輪で当て込んでいた需要です。日本人と訪日客の消費、大会運営費を合わせた需要を６７００億円とする推計もあります（日経新聞、3月24日）。一方で延期にともなう追加費用はおよそ３０００億円。いったい誰が負担するのでしょうね？

渡邉　ただ、逆にいうと1年延期であれば、オリンピック景気を1年先延ばしにできるともいえます。また、築地の道路問題をはじめ、五輪に向けて最終調整が遅れていた工事も完成できる。

さらに東京都にとっては選手村という非常時隔離拠点を得ることができました。これだけの部屋数を確保できる場所はありません。羽田からも近く、国際線の休航であいたゲートを帰国者向けに利用できる。また、一般の人たちの動線とも切り分けられるわけです。

小池知事も利用に言及していますね。

宮崎　それは良いアイデアですね。

今こそ消費税を撤廃せよ

宮崎　第4章で論じたように世界経済に求められているのは自国の内需を高める政策を政府がとることです。日本にとって一番手っ取り早く効果が高いのはズバリ消費税の撤廃です。半額ではなく消費税撤廃という思い切った外科手術が必要でしょう。

実際、日本経済は２０１９年第４四半期、消費税導入による消費の落ち込みで、ＧＤＰ

マイナス7・2%まで落ちています。この数字は衝撃的ですが、これはコロナウイルス災禍前のことであり、今後はもっと悪化するでしょう。マイナス10%もありえますよ。

渡邉　消費税対策として、電子決済による還元措置などがとられましたが、その効果は限定的だったことが明らかになりました。また、駆け込み需要が少なかったこともあり、冷え込みも限定的になるとの声もあったのですが、予想以上の悪化となっています。

宮崎　武漢コロナ後の各国の緊急対策を比較するとダントツは米国です。

米国は財政支出だけで、1・6兆〜1・8兆ドル（約176兆円〜198兆円）を投じ、FRBの追加策を加えれば220兆円を超え、実現すればリーマンショック時以上です。

中国は社会保障費の企業負担分の減免などで約18兆円を投じる。しかし、こんなことをしていると人民元の為替レートが暴落するでしょう。

英国は医療体制強化などで4兆円を、EUは中小企業支援基金に3兆円、イタリアは個人店舗閉鎖保障などに3兆円、豪も低所得者への現金給付などに1兆2000億円、一番遅れている日本はとりあえず中小企業向けに無担保、無利子融資に1兆6000億円と、それもこれも、チャイナが元凶です。

しかし、上記の暫定措置は、一時的な効果しかない瞬発的な政策であり「痛み止め」程度のレベルでしかないと多くのエコノミストは見ています。

日本の消費を増大させ、株式市場に元気を取り戻させ、日本経済を積極的に活性化する劇薬は消費税ゼロしかないでしょう。

渡邉 同感です。今回の危機で最も大切なのは落ち込んだ消費の拡大ですから。新型コロナ問題が一定の解決を見せるまで人の活動に制限がかかるため、必然的に消費は落ち込みます。したがって、制限から解放されたとき、消費税0％と給付金のような強烈なカンフル剤を打つのが最も効果的です。

リーマンショックとはまったく異なるアプローチが必要だ、という認識を持つべきです。金融システムの問題ではなく、実体経済の悪化と資金不足による倒産ドミノです。もともと中小零細には体力がない企業も多く、日銭で生活している人も多い。お金の流れが止まれば、即倒産に結び付く。政府はこれに対処するために無担保・保証人なしで借りられる特別融資などを用意しました。また、企業の休業に伴う人件費の問題です。これに関しても、休業補償などの支援策を打ち出している。業種・業態に合わせた中長期的な融資を同時多発的に行う必要があるでしょう。

宮崎 トランプ大統領の「2兆ドル」対策は再選へ向けての選挙対策であると民主党は警

戒し反対していましたが、けっきょく超党派で合意が成立しました。

渡邉 それは安倍政権にも言えることで、給付金を配り、消費減税と憲法改正を焦点にした7月の衆議院選挙も見えてくるわけです。この場合、安倍4選とセットで憲法改正もできるかもしれません。

コロナへの治療薬で朗報

渡邉 米国にしろ日本にしろ財政融資は一時しのぎでしかなく、消費を高めるためには、ヒトの行き来を取り戻さなければならない。ヒトの流れが止まったところに資金を投下しても消費は生まれません。したがってコロナウイルスに対する治療方法の確立こそが重要ですが、朗報があります。

相変わらず中国のデータは入ってこないし、当てにもなりませんが、新型コロナの致死率も中国以外のデータなどからわかってきました。

じつはダイヤモンドプリンセスの実験的治療から、日本は先進国の中でも最も多くの理想的データを保有する国になっており、各種薬剤の治験データと治療指針が集まっています。

日本感染症学会がまとめた「一般市民向け新型コロナウイルス感染症に対する注意事項」によると、①肺炎の合併に注意、感染対策の基本はインフルエンザに準じる、②新型コロナウイルスの遺伝子変異は起きていない、③中国における死亡数の増加に関しては引き続き検討、④免疫不全患者、高齢者を守る対策が必要、⑤感染対策の基本は咳エチケットと手の清潔とのことです。

今回の問題の解決は、治療薬を特定することが一番の早道です。まず期待されるのはアビガンです。すでに日本でもアビガンの臨床が始まっていますが、鍵を握るのは米国です。米国の場合、米食品医薬品局（FDA）が緊急使用許可（EUA）を出せば、使用が開始できます。日本の制度よりも迅速に承認できる体制です。FDAが承認すればお墨付きを得た形になるので世界各国での利用が可能となるのです。

また、コロナ候補薬として、アビガン以外にも、ぜんそく薬シクレソニド、薬ゾフルーザ（塩野義）、フサン（日医工）重症化したら吸入薬オルベスコ（帝人）などの効能が確認されています。

「アビガン」は、富士フイルム富山化学の抗インフルエンザウイルス薬です。

ウイルスというのは、基本的に宿主の体内で自らの持つ遺伝子をコピーし、繁殖するのですが、アビガンはこれを阻止する。したがって、さまざまなウイルスに効果があるとされてきたものですが、これがコロナにも効いたわけです。

ただし、臨床試験の結果、胎児に対する奇形の可能性が確認されたため、限定的に量産と販売が許される薬となっています。

「シクレソニド」（帝人ファーマの吸入ステロイド喘息治療薬「オルベスコ」）は一般的なステロイド剤の副作用がありますが、胎児への奇形リスクなどがないため、比較的利用しやすい薬であるといえます。

加えて24日には東大がナファモスタットの薬効を確認しました。この薬は既存の薬であり、後発薬も発売されている安全性が高いとされる薬であるため、使いやすいのが特徴であり、医療関係者に対する予防服用などの利用も想定できます。

また、各大学や研究機関、製薬会社の間でワクチン製造の動きも本格化しており、すぐに期待できるものではありませんが、ゲノムやバイオ技術の進化で時間の短縮が期待されています。

宮崎 ワクチンといえば、トランプ大統領が、ワクチン開発を進めるドイツ企業の「キュアバック」に10億ドルを支払う見返りに、ワクチンの権利を独占しようとしたと報じられましたね。ドイツの外相は「独占は許されない」などと批判したのに対し、アメリカのドイツ駐在大使は即座に「報道は間違っている」と否定したようですが。真偽はともかくワクチンができれば多くの人命と莫大な収入が入ります。

ちなみに、抗ウイルス薬やワクチンなど創薬できる国は欧米の先進国である10カ国に満たず、日本はその数少ない国の一つなんですね。これは日本人として覚えていていいことだと思います。欧米のライセンス生産で安い薬は作れますが……。

渡邉　開発コストの上昇や後発薬の誕生により、リスクが高い新薬開発をやめるメーカーが増えたんですね。また、創薬には基礎的な学術レベルを持つ教育と施設も必要で、一発当たればデカいのですが、ハードルは異常に高い。キャンブル性が高いんですね。ですから創薬に携わっている日本の技術者とその技術力は世界に貢献しているとも言えます。

それから日本は、世界有数のCT（コンピュータ断層診断装置）保有国でもあります。世界の3分の1近いCTが日本の病院にある。コロナの場合は間質性肺炎症状が出てるのでCTの映像判断である程度判断できますし、CTの映像診断で症状の経過の観察ができる。

また、新たなに開発された迅速ウイルス検出機器GeneSoC（ジーンソック）により検査体制も整ってきました。

「ジーンソック」はPCRに近い検出感度を維持しつつ、迅速性が最大の利点となります。ひとりの患者を診断するに当たり、検体採取から結果判定まで、1時間以内（前処理30分弱+検査時間15分弱）で完了します。PCRのように一度に大量の検体を検査することには向いていませんが、少量の検体を迅速に診断することが求められるような場面では活躍が期待されます。すでにジーンソックは3月18日より保険適用対象となり、行政検査等に用いる遺伝子検査方法として、厚生労働省から示されています。

ただ、今後大きな問題になるのが、ジェネリックなどの薬不足だと思います。世界のジェネリックの原薬の半分近くを中国に依存しており、生産の多くをインドに依存している。今回の問題でインドは薬の輸出を禁止し、特にインドに頼る欧州ではこれが大きな問題になり始めています。

トランプが日本に謝った？

渡邉　これは余談ですが、意図的かどうかは別にして麻生副総理が3月19日の参議院で「ぽろり発言」をしています。トランプが日本のクルーズ船「ダイヤモンド・プリンセス」への対応のアドバイスを求めてきたことに対し、日本を批判したのだから謝ることが先だろ、謝ったら教えてやるとし、謝ったから教えてやった、と発言しましたが、実際ペンス副大統領は「症状がなければ検査をしないでください。医療資源を保護して、医療従事者が十分な対応をできるようにする必要がある」と医療崩壊を防ぐ、日本型対応を見習う方針を示しています。

宮崎　日本のクルーズ船への対応に対する非難は欧米にブーメランになっていますからね。ＮＨＫや朝日新聞など反日メディアは日本の感染者を多く見せるために、英国が所有し米国が運航を管理していて日本政府には責任がない「ダイヤモンド・プリンセス」の感染者数を合算していましたが、とうとう「クルーズ船を除く」という表記に変えました。日本人が日本の足を引っ張るので困ったものです。

渡邉　そのクルーズ船ですが、ひとつ朗報も出てきています。それは「ダイヤモンド・プリンセス」での大規模感染が食事担当の船員によるものであることが確認され、クルーズ船の隔離拠点や病院船に転用できる可能性が出てきたのです。他のクルーズ船の案件も船員要因とされ始めており、船内の換気を通じたものでなければ利用に差し支えないのです。

この場合、一つの船で数千の隔離できる空き室がうまれたことになります。すでに米クルーズ会社のカーニバルクルーズラインは国への提供を申し出ています。

宮崎 先ほどの五輪選手村の病室転用といい、クルーズ船を病院船とするアイデア、なかなかのものじゃないですか。

日本の技術で中韓排除のサプライチェーンを構築

渡邉 中国依存における世界のサプライチェーンの問題ですが、日本企業にとっては勝機です。平成の30年間で、日本企業が失っていったシェアがたくさんあるのだけれど、どこが奪ったかというと中国と韓国。ですから、中国と韓国を外した新しいサプライチェーンの構築を日本がすればいいんです。

私は日下公人《くさかきみんど》先生との対談（『世界は沈没し日本が躍動する――最強の日本繁栄論』ビジネス社）の中で、次のようにいいました。

「韓国に輸出規制を強化した三品目にしても、日本のメーカーが何十年も試行錯誤して磨き上げたもので、いくら国を挙げたところで数年で韓国企業に作れるわけがありません。万が一できたところで、コストが合わない。それをわかっているからサムスンも内製化しなかった。日本企業は納期、価格、品質のすべてがともなっています。（中略）

ですから日本企業の経営者は、今後はもう安売りをやめればいいのです。

輸出規制の三品目の韓国への年間輸出額は一五四億円相当です。それが止まると韓国で作れなくなるものが約二〇兆円分の製品。二〇兆円の製品が作れなくなると六〇兆円稼ぐ会社が潰れるんです。

つまり、日本企業は一五四億円で売る必要はないということです。日本しか作れないので、一五〇〇億円に値上げしたとしても、必要なところは買うわけです。

売った日本企業は原価が一緒ですから、利益が一気に上がる。会社が儲かり、給料がアップする。それなのに、日本企業同士が値段を叩きあって、良いものをどうやって安く売れるかという方向に企業努力をしてしまう。（中略）

だから良いものを高く売るという商売の原則に日本企業はもう一度立ち戻る必要があります。他が作れなかったらいくらでも売れるじゃないか、というユダヤ商法を日本もやるべきです」

サムスンにしてもハイニックスにしても、半導体を組み立てる半導体装置も材料もほとんど日本製で、それを日本企業が安売りしているだけの話なのです。

半導体に関してはアメリカが基礎特許を持っている部分が大きいので、アメリカに研究開発の部分で手数料を払って、半導体装置は日本が作ればいい。

ふたたび1980年代前後くらいまでの、冷戦構造下の日本経済にまで戻していくことは可能でしょう。1980年代には日本から見た世界のマーケットに中国などなかったのです。

宮崎 ないというより、誰も相手にしていなかった。

渡邉 誰も相手にしていなかったし、マーケットとしても存在していなかった。それでも日本経済が今よりもずっと良かった。ということは、中国と韓国を排除して、その分を取り戻せばいいのです。

アメリカもそのほうが潤うだろうし、日本も潤うだろうし。サプライチェーンだけではなくて、マーケットまでの総合的なリストラクチャリング（事業再構築）すればいい。ここにおいて、オンリージャパンを持っている日本企業、オンリーカンパニーは、今回の逆風を順風に変えることができる。

知的財産を守る特許戦略

宮崎　80年代、レーガンという非常に親日的な大統領が生まれたので、安心していたのですが、その通商政策は日本に対してものすごい厳しいものだった。半導体の技術を日本の頭越しに韓国企業にやり、ライバルに育て上げて日本企業を弱体化させた。もちろん当時のアメリカは中国なんか相手にしていません。

思えば、あのときから日本経済の落日が始まっていたのです。

渡邉　NTTが次世代の半導体といわれている光半導体の実験と開発に成功していて、これが6Gのコアパーツになります。運用可能であるという判断が出ています。ただ、この特許の部分をいっさい申請しない。なぜかというと、中国が特許文書から盗むからです。今まで全部、それで盗まれている。したがって、特許の部分は完全にブラックボックスにして、全部、周辺特許を取っているのです。周辺特許がないと作れない。周りを取って、中はブラックボックス。日本企業もようやくこの戦略をとり始めました。

宮崎 私は1984年に有力な企業の特許部を回って『日米先端特許戦争』という本を書いているのです。85年には当時米コーニングと住友電工による光ファイバの特許戦争がピークでしたので、米国ニューヨーク州コーニング市の本社特許部にも取材で行きました。システムとして日本は、申請から18カ月後に特許公報によって全部情報公開している。アメリカはサブマリン制度を持っていて、国防技術に関するものは公開しなくていい。日本もそれをできないのかと言ったら、業界の人は、「ああ、そういうのがあったのか」と、それでおしまいなんです。じゃあ、対策はどうするのだと言ったら、「本丸を隠す作戦」と言うのだね。周辺特許を全部押さえたら、どうやっても本丸に近づけないのだね。日本企業の特許戦略というのはそれをやっているのですよ。

渡邉 最新の半導体分野や、量子コンピューターは東大の中村栄一教授の中村研究室が一番進んでいて、いろいろな技術を持っています。持っているのだけれど、それを国家として守ろうとか、国としてきちんと管理しようとか、そういう姿勢が今まで無くて、経営者にも国家観のない人が多くて、儲かるのだったらどこにでも売ればいいじゃないかと。

宮崎 通産省（現経産省）の指導力が落ちた。落ちたというよりゼロに近くなった。

渡邉 まったくない。経産省になって弱体化してしまったのですよ。海外仲良しクラブの経済企画庁と喧嘩《けんか》上等の強者だった通産省がくっついてうまくいくはずがない。経産省になって「喧嘩できない優等生」ができてしまった。

宮崎 アメリカが恐れ、かつ「ノトリアス・ミティ（悪名高きＭＩＴＩ）」とまで言われた通産省はなくなってしまった。通産省の外郭だったジェトロ（日本貿易振興機構）は輸出促進機構だったのに昨今は輸入促進機構。

渡邉 それだけではなくて、中国進出セミナーを開催して、企業と人材を中国に流出させていたのはジェトロです。

宮崎 本当に、コロナウイルスを奇貨として、日本の産業政策の立て直しをしなければなりません。

パラダイムシフトの根幹には戦時体制下の挙国一致という認識が必要です。

脱中国に動き出した日本

渡邉 前章で台湾の企業は脱中国が早いと述べましたが、なぜかというと、台湾政府が中国から脱出するためのＳＯＳ電話を作って、窓口を開いているからです。政府が撤退を支援している。

宮崎 え、ホント？ かつては連戦（元副総統）のオフィスが、台湾企業の中国進出の担当窓口でしたがね。

渡邉 台湾企業が台湾に戻ってくる場合、工場移転をするなら補助金をつけたりして支援している。結局、米中貿易戦争勃発以降、台湾に戻って来る支援電話は、毎日パンク状態になっていて、特に香港デモが起きてから、一気に増えたらしいですよ。

グローバル化というのは、出入りの自由が基本です。出て行くことが国際化なのではないのです。逆にいうと、進出を支援してきた日本のジェトロは、本来、撤退も支援しなくてはいけないのです。

しかしここにきて日本政府がサプライチェーンの最適化の名のもとに日本企業の脱中国の支援を表明したのは大きな変化です。

3月5日に首相官邸で開催された第36回未来投資会議において中国への依存脱却を明言し、日本への生産回帰とASEANなどへの分散を国策とすることを表明しました。

具体的には日本政策投資銀行（政投銀）を通じて、企業が日本国内に工場を移す資金を緊急で貸し出し、1億円超の財源を想定しています。正式には4月にまとめる経済対策でより明らかになると思いますが、日本で需要の大きい製品や輸出しても採算が合う高付加価値の製品を生産する企業に重点的に融資する。その際、工場の立地予定地は地方になるので、政投銀と地方銀行との協調融資になるのですが、これは地方再生にもつながります。

前述のようにＧＤＰはあくまで国内総生産ですから、中国のように資金の持ち出しを禁止する国でいくら稼いでも、日本のＧＤＰにはまったく貢献しません。これが国内に回帰すればＧＤＰが高まるとともに税収もプラスになる。

これまでの政策からの大規模な政策転換であり、二階氏などいわゆる「親中派」に対する内部政治の大きな変化を意味します。

宮崎　本書のあとがきで中国進出企業の現状を総点検しますが、一刻も早く中国を切り捨てるべきでしょう。親中派がのさばる政治体制、経済体制は終了したということです。

渡邉　これまでは米中技術戦争はＡＩやハイテク分野が主戦場でしたが、基礎材料にまで及んでいます。逆に言えば、基礎材料を海外に多く提供している日本企業の強みがますます発揮されます。現実的にヨーロッパ諸国の中でも中国をデカップリングできない国もありますが、まずは米英を中心に、そしてアジアでは台湾と連携して脱中国をはかるべきです。そこに日本と日本企業の活路があるのだと思います。

宮崎 世界は激動しています。その昔、10年かかった変化が、わずか1年で激変する。世界史の叙述は速記しておかなければ記録できないほどのスピードで変化しているのです。4Gが5Gに変わるような技術の変貌が同時並行していますが、その昔、100年かけて変貌してきた政治、経済、文化の変遷が、前世紀からは10年単位で起こるようになった。その事実をわれわれは銘記しなくてはなりません。

おわりに　総点検、中国依存度の高い日本企業は逃げ出せるのか？

本書の最後に、これからの日本経済を考える際に、いかにして日本企業が中国との関係を絶つかという視点から、現時点での日本企業の状況と見通しを、企業名を挙げながら検討しておきたい。

「鉄は国家なり」が合い言葉だった時代がつい戦時まで続いた。明治維新の「富国強兵、殖産興業」という熱気が産業の振興に拍車をかけ、国家建設の主柱が鉄だった。

建築の鉄筋も、鉄道のレールも橋梁も、そして自動車も鉄、鉄製品が基幹である。日本経済は鉄とともに躍進してきた。たぎるように日本人の熱血とともに技術も急発展し、産業の裾野を拡げてきた。

しかし粗鋼生産で世界一だった日本の凋落《ちょうらく》は、中国など新興諸国の製鉄起業とダンピング輸出によって弱体化した。市場を奪われ、日本の製鉄は再編に追い込まれ、富士と八幡の合併から始まり、今では（新日鐵と住金が合併した）日本製鉄（５４０１＝株式銘柄代替番号、以下同）、ＪＦＥ（川崎製鉄とＮＫＫが合併）、そして神戸製鋼所（５４０６）の三つのグループに集約され、各地の高炉の火が消えた。

「鉄は国家」ではなくなった。「鉄くずや、強者どもの　夢のあと」だ。

自動車の販売不振と工場の操業停止、さらにコロナ災禍の追いうちによって、自動車鋼板の需要が大きく減退する。不況は鉄筋需要も減らす。これは鉄鋼メーカーに甚大な悪影響を与え、ＪＦＥホールディングス（５４１１）は国内生産の15％を占める京浜の高炉を数年間の目算で休止すると悲しい発表に踏み切った。

すでに日本製鉄は２０２０年九月に北九州の1箇所を閉鎖するばかりか、22年には和歌山を、23年には中国地方の呉の高炉を止めるという縮小計画を進めている。

ＪＦＥも、２０２２年には千葉工場も止め、広島県福山に集約する。もとより中国産鋼鉄のダンピングで世界の高炉が悪影響を受けてきたが、高炉をひとつ止めると2千名以上の従業員は不要となりレイオフの対象となる。無配転落のＪＦＥは当面、ほかの製鉄所から半製品を仕入れ加工作業などをするというが、事実上高炉が止まれば、企業の存立が問われるのではないのか。

さて「中国に重度依存企業」といえば、代表格は自動車だろう。

トヨタ、日産、ホンダは欧米にも大工場があり、世界市場でのバランスがとれているはずだが、しかもコロナ災禍は地球的規模だったため自動車メーカーの受けた大打撃は深刻なうえ、不況は長期化の様相である。トヨタだけでも、世界各地で工場が稼働しており、年間1000万台を超える生産をしてきた。

トヨタ（7203）は、国内外で生産台数1位。2019年までトヨタの中国販売はレクサスなどが好調で、きわめて順調だった。ところが、2月に中国販売が70％減と、もろにコロナウイルスの直撃弾を食らって、以後は北米でも7工場を臨時閉鎖した。インドの工場も一時閉鎖に踏み切った。お先真っ暗である。

米国にも上陸した「チャイナウイルス」の感染が拡大し、トランプ政権は非常事態宣言を出した。3月23日、トヨタはついに日本国内の5つの工場で操業を一時停止する措置をとるとした。

トヨタの最大株主はトヨタ織機である。ダイハツ、日野を傘下にスバルなどとも提携し、文字通り、日本経済を牽引している。この日本経済の屋台骨が重症を負ったことは、今後の日本経済の見通しを非常に暗鬱《あんうつ》にしている。

トヨタ系最大の下請け部品メーカーの一つはアイシン精機（7259）。自動変速機で世界最大だが、中国のコロナ災禍以後、設備投資を圧縮した。

トヨタ系マフラーの最大メーカーはフタバ産業（7241）。プレス溶接、ボディなどトヨタへの納品が7割。トヨタが32％株主。工場のロボット導入で効率化をはかってきた。

曙ブレーキ（7238）は訴訟が相次ぎ、米国の2工場を閉鎖した。業務縮小中だが、再生をかけた北米工場も武漢コロナによるGMの売れ行き後退で、予測を下方修正した。曙ブレーキはトヨタが最大株主だが、経営方針は独自色が強い。

トヨタ系自動車照明部品、器具で首位の小糸製作所（7276）はかつて「乗っ取り王」のブーン・ピケンズがTOBをしかけ、「自動車業界に黒船来る！」とメディアの話題をさらった。中国依存度は11％程度で、北米、インドネシア市場を拡大している。そのピケンズに私はインタビューしたことがあるが、昨年（2019年）に亡くなった。

日産（7201）は武漢近郊に大きな中国工場を持つが、操業停止状態が長期化、主力部品工場が武漢にあるため九州の工場も連鎖的に生産が停滞した。仏ルノーとの提携問題も揺れ、スペイン工場では5000人の従業員を一時解雇。強欲レバノン人、ゴーン事件の後始末が響き、黄金時代の失地回復はままならず、泥沼化の様相である。日産の中国における販売は2月に80％減（もっともGMは92％減、現代は95％減だった）。見通しは最も暗い。

とりわけ日産自動車九州（福岡県苅田町）は生産調整を実施しているが、地域では日産城下町の風情、ほかに日産下請け企業は日本全土で1万6000社。各地で失業保険の申請が目立ち始めた。

下請けの典型は日産の外装部品をてがけるファルテック（7215）あたりで、北九州の日産工場では操業が止まった。不況の脱出には時間がかかりそう。日産のピストンリングを納めるリケン（6462）はふたつの武漢工場が苦戦、中国向けピストンリングを日本で生産再開となった。

ホンダ（7267）もかつての好調ペースが崩れ、英国からも撤退を決めたため、日産と同様にまるで振るわない。19年実績の498万台は遠く及ばず、二輪が好調なアジアでも低迷に陥っている。

直系の子会社ユタカ技研（7229）は駆動系部品と排気系部品を量産してきたが、英国撤退の悪影響が災いしたうえ、関連ビジネスでもBREXITに連動する。中国では3工場を持ち、操業再開の展望がみえていない。ホンダ最大の部品メーカーはケーヒン（7251）。関連4社統合で危機を乗り切る予定という。またホンダ系ワイパーのミツバ（7280）は武漢にある2工場が生産停止、ほかに3カ所の生産拠点が中国にあり、注文が激減して低迷が続きそうだ。

いすゞ自動車（7202）は中国でのトラック販売が不振となり、ついでタイなど東南アジアの市況が悪化した。

三菱自動車（7211）はドイツにおける排ガス・データ不正事件で巨額の罰金を被ると打撃が大きくなる。もともとアジアでも売れ行きがすぐれず、立て直しに時間を要する。

対照的に中国から早期に撤退したスズキ（7269）はインドでのシェアが40％、トヨタ、日産、ホンダはインド南東部チェンナイに進出したが、スズキはニューデリー近郊とグジャラート州にも工場。知名度もインドで一番高い。となれば中国よりインド景気の動向が、売れ行きを左右する。ANAはチェンナイ直行便を開設したばかりだったが、コロナ災禍で欠航が続き、そのうえ政治情勢の混迷から各地で暴動が発生、インド進出の自動車メーカー、しばらく苦戦が続く。

自動車部品で欠かせないベアリング、日本最大手は日本精工（6471）。中国自動車産業の撃滅的停滞で、部品供給も停滞し、主力ではないが風力発電の軸受けで少し盛り返した。

あらゆる工場で需要の高い産業ロボットの大手は安川電機（6506）だが、中国の自動車産業低迷、半導体回復遅れなどで好調ムードが消えた。ほかの分野でも中国では設備投資そのものが大幅に減退しており、産業用ロボットの需要は、今後アジアからインド方面に移行するかもしれない。

なにしろ武漢に進出した日本企業は160社、しかも大手メーカーが多い特徴がある。

武漢コロナ災禍で、むしろ大飛躍した日本企業はといえば、防塵《ぼうじん》、防毒マスクの興研（7963）で、中国でも使い捨てマスクが堅調、工場はタイにあるので例外的に株価急伸の企業となった。人工呼吸器の日本光電（6849）は株価大高騰だった。

産業用防毒マスクの重松製作所（7980）は、使い捨てマスクも生産し、自給式呼吸器の代理販売。中国ばかりか欧米市場の引き合いも多数あって、株価は棒上げとなった。

中国が喉から手が出るほど欲しがっているのは半導体製造装置だ。ウエアの洗浄で世界一と言われるのがスクリーン・ホールディングス（7735）だが、米国が対中禁輸のELリストに入れたため、半導体の新工法を米国アプライド・マテリアルズ社と共同研究という路線に踏み切った。株価は一時ピークの半値まで下落した。世界3位の半導体製造装置メーカーは東京エレクトロン（8035）で、とりわけエッチング、成膜装置にすぐれ、あまつさえ中国進出をせずに、国内の山梨と岩手に新工場。米国の対中禁輸措置が好影響を逆にもたらしたため、株価は高値圏を維持している。

半導体製造装置で、もう1社は芝浦メカトロニクス（6590）である。東芝系でFPD、液晶関連、洗浄装置では世界首位。しかしFPD装置は、投資先送りとなったため苦戦中、先端分野の開発に乗り出している。

関連で半導体検査装置、特にDRAM用検査の首位はアドバンテスト（6857）。米国のシステムレベルテスト装置企業を2020年1月に買収し、事業領域を拡大、中国と関係が深くないので、株価が高値安定。同じくウエハ検査、半導体検査装置の日本マイクロニクス（6871）も堅調だ。

半導体露光装置も作り、カメラ不振を補うのはキヤノン（7751）。同社はカメラばかりか事務用品、コピー機、メディカル分野にも進出しており、フルサイズミラーレスではソニーと競合している。中国人のツアー激減で観光地の土産、ホテル、レストランが重度の営業不振だが、往時、中国人観光客は必ずと言って良いほどにキヤノン、ニコンの一眼レフをぶら下げていた。あの爆買いも終わってしまった。

リコー（7752）は広東省東莞に新工場を建設中だった。実にタイミングが悪い。事務用品のハイテク化、複合機で躍進した時期もあったが、武漢コロナ直後から業績が低迷中。見通しは明るくない。

セイコーエプソン（6724）は諏訪湖のほとり、水と空気が綺麗な場所の企業として成長し、インジェクト・プリンターが有名だろう。だが価格競争が激しく中国向け産業機械も苦戦している。

半導体、液晶に関連するメーカーは韓国、台湾勢に中国市場を奪われていたため、逆に被害は少ない。なにしろルネサス・エレクトロニクス（6723）は車載用マイコンで世界首位だが、米国社を大型買収したため金利支払いが経営を圧迫している。東芝メモリー（現「キオクシア」）は梃子《てこ》入れも空しく、低空飛行を続けている。日本の半導体が失地回復する展望はない。

島津製作所（7701）は計測機器、医療機器、バイオ。アジアで好調だったが、武漢肺炎以後、納期遅れが出た。また中国市場ではがん検査機を新規開拓中だった。

医療機器の中でも歯科用インプラントの大手ナカニシ（7716）は中国で低迷、欧米では成長している。

工作機械、工具、小型モーター、チェーンなども中国の生産停滞で、日本のメーカーや工具専門商社は青息吐息となる。

トランス、リアクターで中国にも生産拠点を持つタムラ製作所（6768）は地球的規模での設備投資激減、特に中国は納期延長で在庫が膨らみ、加えて物流が停滞しているため回復に時間がかかりそうである。

ベルトコンベアといえば椿本チェーン（6371）だ。スチールチェーンのほか、自動車部品も製造しており、中国の自動車産業の低迷、操業停止により注文が減って株価はピーク時の半値に落ちた。

ローツェ（6323）は台湾ファウンドリ向けにウエハ、ガラス基盤を製造、どちらかと言えば台湾と韓国が顧客だ。次世代パネル投資のため韓国に新工場を建設中だったため、急な需要減にいかに対応できるかがカギとなる。

荏原（6361）も中国依存が意外と大きく、ポンプ、コンプレッサー、環境プラントが特異な企業ゆえ、中国依存のツケがまわりそう。株価の落ち込みが激しい。

機械で中国依存の高い代表格はなんといっても、コマツ（6301）である。建機ではキャタピラのあとを追って世界第2位を誇る。建設現場に投入される建設機械、車両の基幹部品は日本で生産し、現地で組み立てる。中国の需要が底入れ、インドネシアも復調ならず、日本のインフラ建設は数量が乏しい。

住友重機工業（6302）も同様な状況。油圧ショベルが主軸で、鉱山機械にも強いのが国内2位の日立建機（6305）だが、中国では安い中国製に押され気味だった。中国はまた財政投入でインフラ整備を煽るので、回復チャンスとなると希望しているようだが、はたして全人代も開催できない中国の回復が早期に訪れるとは考えにくいのではないか。

中国に拠点がないのが移動式クレーンで世界最大のタダノ（6395）だ。ところが、ドイツ子会社の赤字、新型クレーンをアメリカ市場に投入してバランスをとる。欧州の赤字克服は2022年まで延びると予測されている。

意外な健闘が続くのはエアコン世界首位のダイキン工業（6367）である。なにしろ中国の奥地へいってもダイキンのエアコンが敷設されていて驚くが、空調の需要は世界的であり、欧米の不況で多少のマイナスになる程度と予測される。

精密機械の分野は悪影響が大きい。

武漢コロナ被災前から中国からの注文がばったり止まったため、青ざめた日本企業の代表格が日本電産（6594）だった。精密小型モーターは家電からメーカー用途、車載が特に大きな市場だけに、昨秋以来、中国経済の落ち込みがもろに直撃となっていた。

マブチモーター（6592）は、かつて台湾に主力工場があって2万人を雇用していた。賃金の安さを求めて大連と蘇州に工場を移管し、今はベトナムにも工場があって全量を海外生産という特異な企業だ。本社は千葉県松戸。社長が通り魔に殺害されたときは大連からの刺客説も流れたほど中国との関係が深く、パワーウィンドウなど車載部品は自動車販売の落ち込みに比例して低空飛行。株価はピーク時の半値。

堀場製作所（6856）に注目が集まるのは半導体装置の新工場を中国上海に建設するからだ。もともと京都に集中したハイテク企業の中でも独立系で、検査装置、分析機器、エンジン計測器などで成長してきた。自動車向け検査装置は排ガス規制の必需品。医療検査機はコロナウイルス災禍に必需装置。されど半導体製造装置の中国進出はアメリカの警戒を強めないか。

ファナック（6954）は数値制御工作機械から産業用ロボットで急成長したが、設備投資減退の情勢下、新規投資を控えている。本社は中国人ツアーの多かった山梨県の忍野村だ。

京セラ（6971）はもともとセラミック、電子部品、通信機器、複写機にも乗り出し、5Gスマホ部品、太陽電池も好調。全体のパイが大きいので中国依存度も目立たないようだ。村田製作所（6981）は電子部品、通信基地局向けのセラミックコンデンサー、とりわけ5Gの中枢部品も作るため、ファーウェイの低迷で共倒れとなるリスクを抱える。

ローム（6963）もカスタムLSIを得意とするが、中国依存度が高かった。

DMG森精機（6141）はNC旋盤、MC（マシニングセンター）で世界的にも有名な企業で欧米向けの航空機向けなどやはり世界的不況をもろにかぶって受注減。

中国に部品や委託生産を依存していた日本企業もサプライチェーンが途切れて出荷が遅れ、売り上げに響いた企業がある。そのトップはゲーム機の任天堂（7974）。ただし世界的人気商品ポケモンのコンテンツ充実を図り、株価は高値維持。部品が中国から遅れたのがプロジェクターなど光学事業の岡本硝子（7746）だ。

一方、中国の消費市場をねらった日本企業は苦戦を強いられた。資生堂（4911）、コーセー（4922）の化粧品も売れ行き減少、一時は中国人インバウンド客が必ず買ったニコンの一眼レフ。今はデジタルカメラさえ、スマホの写真のほうが画素数が多く、美しい写真が撮れる時代となって売れ行き不振になったことは見てきた。かつてのウォークマン、快進撃のあと突如停止したような状況である。ニコンは精機が健闘している点でキヤノンと双璧の座を維持する。オリンパス（7733）はむしろカメラより手術用の内視鏡がビジネスの主流となり、中国でも、こういうときは好調なのである。

資生堂は中国景気減速の影響で株価は45％減、コーセーはピーク時の半値以下に下落している。

中国のインバウンド客が日本で買っていった人気商品のひとつが象印マホービン（7965）だった。目を付けた中国資本が筆頭株主となってさまざまな要求を出したが株主総会ですべて否決し、売れ行きは足踏み。

消費で堅調なのはユニチャーム（8113）。赤ちゃんおむつから高齢者用にも拡大し、健康需要が多く、特殊生理用品などでも気を吐く。

富裕層の激増があって、中国でもピアノ教室、電子ピアノで世界首位のヤマハ（7951）は、楽器販売が中国では漸減したものの世界的には伸びを示し、武漢コロナの影響は微細にとどまった。

中国へ行くとどこにでもあるカラオケの設備メーカー第一興商（7458）はビッグエコーなど直営店も経営し、新機種リースは好調、ほとんど影響はないが、ムードで株価は下落。眼鏡チェーンの三城ホールディングス（7455）は中国でもチェーン店を展開したが、赤字続きで店舗を減らした。

いち早く撤退を決めたワタミ（7522）。介護事業からも撤退を決め、高齢者宅食サービスがひとり気を吐くものの居酒屋ブームが中国でも終わり赤字が膨らんでいた。日本でも外食産業はべた崩れ。居酒屋、焼き鳥チェーンなど回復には時間がかかりそう。

特に逃げ遅れたのはサイゼリヤ（7581）だ。上海、広州、北京に合計330店舗を展開したが、武漢コロナ以後、ほとんどが休店という大打撃を受けた。

たとえ中国企業に売り逃げたとしても、苦戦を強いられたのは中村超硬（6166）で、ウエハ切断のダイヤモンドワイアの中国設備を17億円で売却したが、株価はピークの7820円から625円（3月23日）と直滑降の墜落、上場廃止疑義がある。

インバウンド業界は観光業界からテーマパーク、宿泊ホテルからバス、ガイドまで直撃を受けている。

代表格はエイチアイエス（9603）。長崎のハウステンボスの再建、個人旅行手配からパック旅行、ロープウエイ建設中止などで、大幅な赤字に転落し、株価はピーク時から60％減となった。おもちゃのサンリオ（8136）もテーマパークが不振、ツアー客が必ず立ち寄ったラオックス（8202）は中国の蘇寧電器が買収後、免税店が大打撃を受け、休業、人員大削減。株価は60％の下落である。ラオックスは客がいない（予約制なので）店内の中国人従業員は所在なくお喋り。

観光地はインバウンド激減に悲鳴をあげたが、「これまでが異常だったので、今は数年前の状態に戻っただけ」との強弁も聞こえる。筆者は数年前に「中国人の爆買いは『突然死』を迎える」と予想したが、まさにその通りである。

ことほど左様に日本経済の行方にまだ明るさが見えない。元凶はすべて中国である。

改革開放以後、中国は賃金の安さを売りに「世界の工場」となった。それがいつしか中国基軸のサプライチェーンを世界に構築し、スマホで世界市場の覇者、粗鋼生産世界一、ドローンを量産し、自動車は年間2500万台も売れた。中国の中産階級は世界のすみずみにツアーを組んで出かけた。

韓国、台湾は半導体を、日本は中枢部品やエンジンを供給し、中国で組み立てた品物が米国へ輸出され、ほくほく顔で儲けていた中国は、その利益の大半を軍事拡大に投じた。

米国トランプ政権は、この構造に抜本的変化をもたらせようと、まずは高関税付与の貿易戦争を始めた。ついで知財を守るためにハイテク防衛のＥＬリスト、ファーウェイを排除し、スパイを摘発し、たとえば日本も、この事実上の「新ココム」に抵触するために中国へのハイテク輸出の一部が困難となった。

台湾は中国での生産を縮小し、米国へ工場を移転する方向へ転換した。ひとり遅れた日本は、ひたすら友好拡大、「日中新時代」の譫言《うわごと》を並べて右往左往してきた。

中国は3年以内に半導体を自製すると宣言し、米国は「中国製造　２０２５」を明確に標的とし、当該技術をもつ西側企業を監視する。こうした状況の変化に狼狽《ろうばい》した日本は、数年前から「チャイナ・プラス・ワン」という方針を選択したはずだったが、やはり企業の多くが中国依存の泥沼から抜け切れなかった。それでも幾つかの企業はリスク分散で、ＡＳＥＡＮ諸国に製造拠点を移してきた。

結局、チャイナ・アズ・ワンノブゼム（中国生産の選択肢の一つ）というサプライチェーンの根本的な大変革は5年ほどの時間が必要である。それもアメリカが強引に主導し、日本企業が付いていくかたちで初めて達成されるだろう。

西側のアキレス腱のひとつが製薬にある。

マスクが払底した。4月になっても、依然として「マスク売り切れ」の表示が薬局や医薬量販チェーンにある。じつは日本はマスクの70％を中国に依存していたのだ。死者が鰻《うなぎ》登りのイタリアでも人工呼吸器が決定的に不足している。イタリアのメーカーは組み立てに必要な部品を中国から輸入してきた。

いつの間にか中国が製薬、医薬品の大国としてのし上がっていた事実は不気味である。

第一は欧米製薬企業の爆発的な中国投資と開発援助。第二に中国政府の補助育成、巨額予算の投入。そして第三に欧米の医療関係、医学、生命工学の大学やラボに留学していた中国人およそ25万名が帰国したことがあげられる。

米国は「抗生物質の80－90％、鎮痛・解熱剤の70％、血栓症防止薬としてのヘパリンの40％などを中国に依存していた」（桜井よしこ「日本ルネッサンス」、『週刊新潮』、2020年4月2日号）ことが判明した。医薬品といえば米国、ドイツ、スイス、そして日本ではなかったのか。

それが生産コストの安さから、中国に生産拠点を移管してしまった。

ジェネリックはインドが本場と思いきや、じつは中国の製薬業が西側向け輸出で大きなシェアを誇り、日本も米国も中国に依存している事実がある。

しかも医薬品が「中国製造2025」の達成目標に加わっている。ということは「医薬品が『メイド・イン・チャイナ』から『インベンテッド・イン・チャイナ』（中国で発明された医薬品）に変貌する」（英誌『エコノミスト』、2019年9月28日号）。

中国はすでに、この西側のアキレス腱を見抜き、交渉の武器として駆使している。日本にレアアースの禁輸を行って大騒ぎをしたが、中国は抗生物質などの輸出を止めると米国を脅しつつある。

中国基軸のサプライチェーンから世界は脱却できるか？　そして、それは何時？

おそらく3年から5年の歳月が必要だろう。自動車生産は、中国工場をいきなり閉鎖出来ず、サプライチェーンの組み替えには国内新工場などが必要、あるいはアジアの拠点を再構築する必要がある。
こうして武漢コロナ以来、最悪の状況に陥没してしまった日本経済、いかにして立ち直せるのか、日本人の英知が問われる。

令和二年四月

宮崎正弘　識

●著者略歴

＊宮崎正弘＊(みやざき　まさひろ)

評論家

1946年、金沢生まれ、早稲田大学中退。日本学生新聞編集長などを経て『もうひとつの資源戦争』（講談社、１９８２）で論壇へ。中国ウォッチャーとして多くの著作がある。『中華帝国の野望』『中国の悲劇』『人民元大決壊』など５冊が中国語訳された。著書に『新型肺炎、経済崩壊、軍事クーデターでさよなら習近平』『戦後支配の正体1945 - 2020』『台湾烈烈　世界一の親日国家がヤバイ』（いずれもビジネス社）、『世界を震撼させた歴史の国日本』（徳間書店）、『中国大分裂』（ネスコ）、『出身地でわかる中国人』（ＰＨＰ新書）など多数。

＊渡邉哲也＊（わたなべ　てつや）

作家・経済評論家

1969年生まれ。日本大学法学部経営法学科卒業。貿易会社に勤務した後、独立。複数の企業運営に携わる。インターネット上での欧米経済、アジア経済などの評論が話題となり、2009年に出版した『本当にヤバイ！　欧州経済』（彩図社）がベストセラーとなる。内外の経済・政治情勢のリサーチ分析に定評があり、様々な政策立案の支援から、雑誌の企画・監修まで幅広く活動を行う。著書に『世界は沈没し日本が躍動する』『2019年大分断する世界』（いずれもビジネス社）、『～ 2021年「世界経済リスク」入門』（徳間書店）、『韓国経済はクラッシュする』（悟空出版）など多数。

編集協力：髙山宗東

コロナ大恐慌　中国を世界が排除する

2020年5月1日　第１刷発行

著　者　宮崎正弘　渡邉哲也
発行者　唐津 隆
発行所　株式会社ビジネス社
〒162-0805　東京都新宿区矢来町114番地 神楽坂高橋ビル5階
電話　03-5227-1602　FAX　03-5227-1603
http://www.business-sha.co.jp

印刷・製本／三松堂株式会社　〈カバーデザイン〉大谷昌稔
〈本文組版〉エムアンドケイ　茂呂田剛
〈編集担当〉佐藤春生　〈営業担当〉山口健志

ISBN978-4-8284-2177-3